# Dios Te ha Bendecido

## MI PRIMERA RECONCILIACIÓN

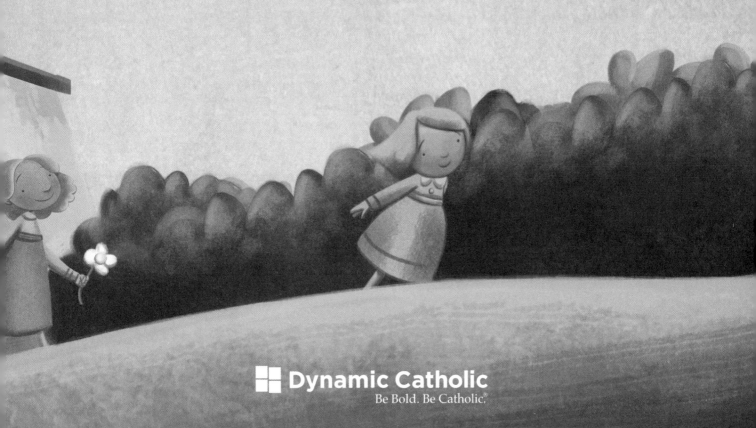

**Dynamic Catholic**
Be Bold. Be Catholic.

## Mi nombre es

---

Dios me ha bendecido,
Dios me ha hecho maravilloso y
Extraordinario a su propia imagen.
Jesús quiere que yo me convierta
en la-mejor-versión-de-mí-mismo,
que crezca en virtud y viva una vida santa.

## En este día

---

Jesús perdonará todos mis pecados
durante mi Primera Reconciliación.
Yo soy verdaderamente bendecido/bendecida.

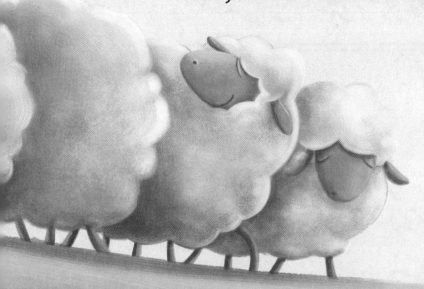

# Índice

# 1

# ¡Dios Te ha Bendecido!

---

Dios nuestro, Padre amoroso,
gracias por todas las formas en que me bendices.
Ayúdame a estar consciente de que cada persona,
cada lugar, y cada aventura que experimento
es una oportunidad para amarte más.
Lléname con el deseo de cambiar y crecer,
y dame la sabiduría para escoger ser
la-mejor-versión-de-mí-mismo en
cada momento de cada día.

Amén.

# Bienvenidos

¡Bienvenido/Bienvenida! Estamos empezando un maravilloso caminar juntos.

Tú eres hijo/a de Dios. Tú eres parte de la más grande y famosa familia del mundo: la Iglesia Católica. Dios te ha bendecido.

Dios quiere que siempre te sientas bienvenido/a en su presencia, en su Iglesia, y como miembro de su familia.

Eres hijo/hija de un gran Rey.

Puede ser que pienses en ti como un niño o una niña, joven o viejo, negro o blanco, americano o chino, pero primero y ante todo, eres hijo/a de Dios. Él es el gran Rey, y tú eres su hijo o hija. Todos tenemos esto en común. Dios es nuestro Padre.

# Dios te ha Bendecido

Dios te ha bendecido. ¿Qué quiere decir ser bendecido? Quiere decir que Dios te ama y te llena de regalos.

Dios te ha bendecido de muchas maneras, pero cada bendición que experimentas proviene de la primera bendición. Tú eres hijo/a de Dios. Esta es la bendición original.

¿Cuál es el mejor regalo que has recibido en tu vida?

Puede que pienses que ha sido una bicicleta, un bate, un vestido, un brazalete, o un juego de video. Pero esto no es cierto.

El mejor regalo que has recibido es LA VIDA. La vida hace posible todo todos los demás ¡Sin vida no podrías disfrutar ningún otro regalo!

Esta es una de las mil razones por las que la vida es sagrada. Dios da la vida.

Lo primero que leemos en la Biblia es cómo Dios lo creó todo. Después Dios miró todo lo que había creado y dijo, "Es muy bueno" (Génesis 1,31).

Tú has sido bendecido/a de muchas maneras, pero toda bendición proviene de la vida.

Puedes tener la bendición de correr como el viento, pero si Dios no te hubiera dado la vida no podrías hacerlo. Puedes tener la bendición de comer helado, pero solamente porque Dios te dio la bendición original.

Puedes tener la bendición de cantar como un ángel, pero solamente porque Dios te dio la vida primero.

Dios te ha dado la vida y te hizo su hijo, su hija. Dios te ha bendecido.

# Cuenta tus Bendiciones

Hay un antiguo dicho judío, "¡Cuenta tus bendiciones!" Los rabinos judíos animan a su pueblo a contar sus bendiciones todos los días y ver si pueden llegar a cien.

Contar nuestras bendiciones nos lleva a la gratitud. Cuando contamos nuestras bendiciones nos llenamos de alegría y de gratitud. A Dios le encanta un corazón agradecido; como hijos de Dios debemos tratar de empezar y terminar cada día con gratitud.

Dios nos bendice de muchas maneras. Cuando contamos nuestras bendiciones en realidad estamos diciéndole GRACIAS a Dios por todos los talentos, las cosas, las personas, las experiencias y las oportunidades fabulosas que El nos da.

Cuando alguien pregunta, "¿Cómo estás?" más que decir "bien", puedes decir, "¡Bendecido/a!" Eso nos ayuda a recordarlo, y les recuerda a los demás que ellos también son bendecidos.

¿Cuáles son algunas de las maneras en que Dios te ha bendecido?

# Mi Lista de Gratitud

Estoy agradecido/a por . . .

_____

_____

_____

_____

_____

_____

_____

# Mi Camino con Dios

Todos somos hijos e hijas de Dios. Esto nos hace más parecidos que diferentes. Con demasiada frecuencia nos enfocamos en nuestras diferencias, en lugar de recordar que todos somos hermanos, que todos somos hijos del mismo gran Rey.

Dios te dio la vida, y ha diseñado un maravilloso camino especialmente para ti. A lo largo del camino encontrarás momentos muy importantes.

# Bautismo

Primero, te bautizaron, y con esto inició tu nueva vida en Jesús. En ese momento fue cuando te convertiste en un miembro de su Iglesia y te uniste a la más grande y famosa familia del mundo, la Iglesia Católica.

¿Cuándo fuiste bautizado?

## Primera Reconciliación

Ahora, te estás preparándote para tu Primera Reconciliación. De vez en cuando todos hacemos algo mal que ofende a Dios y pone obstáculos entre Él y nosotros. Cuando nos separamos de Dios nos volvemos infelices. La Reconciliación remueve estos obstáculos y llena nuestro corazón y nuestra alma de alegría otra vez.

¿Cuándo vas a recibir la bendición de tu Primera Reconciliación? Recibiré mi Primera Reconciliación en...

## Primera Comunión

Dentro de poco, la bendición de la Reconciliación te preparará para tu Primera Comunión. Recibir a Jesús en la Eucaristía es una de las grandes bendiciones de nuestra vida.

¿Cuándo vas a recibir a Jesús en la Eucaristía por primera vez? Recibiré mi Primera Comunión en...

## Confirmación

Cuando seas más grande serás bendecido otra vez cuando recibas el Sacramento de la Confirmación. La Confirmación nos recuerda que en el Bautismo Dios nos bendijo con una misión especial y nos llenó con el Espíritu Santo. Nos recuerda esas bendiciones increíbles y nos da el valor y la sabiduría para vivir la misión que Dios nos ha dado.

## Matrimonio

Más tarde en la vida, Dios puede bendecirte de nuevo con el Matrimonio o el Orden Sacerdotal. En el Sacramento del Matrimonio, Dios une a un hombre y a una mujer para que se aprecien, para que vivan una vida santa juntos, y se ayuden a convertirse en la-mejor-versión-de-ellos-mismos, y lleguen al Cielo.

## Orden Sacerdotal

Dios llama a algunas personas a convertirse en sacerdotes, diáconos, y obispos por medio del Sacramento del Orden Sacerdotal.

## Unción de los Enfermos

Si a lo largo de tu camino te enfermas y necesitas que Dios te cure el cuerpo, la mente, o el espíritu, serás bendecido con la Unción de los Enfermos.

Tú estás caminando con Dios. A lo largo del camino experimentarás estos grandes momentos católicos, que llamamos los siete Sacramentos. Cada uno de estos Sacramentos es una bendición. Todos están conectados. Estos grandes momentos están designados por Dios para ayudarte a vivir una buena vida aquí en la tierra, y te prepararán para vivir con Dios en el Cielo para siempre.

Dios te ha bendecido.

# De la Biblia: Gratitud

Cuando hacemos tiempo para rezar, reflexionar, y contar nuestras bendiciones, nos damos cuenta de que Dios nos ha bendecido de muchas maneras. La gratitud es la mejor respuesta a cualquier bendición. En el evangelio de Lucas hay una historia maravillosa sobre la gratitud.

Un día, mientras Jesús estaba viajando a Jerusalén, diez hombres con lepra se le acercaron y le pidieron que los curara. La mayoría de las personas no se acercaría a una persona con lepra, porque esta enfermedad es muy contagiosa, pero Jesús tuvo misericordia de ellos.

Él los bendijo y dijo, "Vayan y preséntense a los sacerdotes". Por el camino, los leprosos se dieron cuenta que habían sido curados. ¡Era un milagro!

Cuando uno de los leprosos vio que estaba curado de esta horrible enfermedad, se llenó de alegría e inmediatamente regresó a Jesús y lo alabó a gritos. Jesús le preguntó al hombre, "¿Dónde están los otros?"

Adaptado de Lucas 17,11–19

17

Jesús había curado a los diez leprosos, pero sólo uno le dio las gracias. Jesús acababa de cambiar su vida para siempre, pero ellos ni siquiera pudieron molestarse en regresar y darle las gracias. Eso es rudo, ¿no crees?

Quizás los otros tuvieron la intención de darle las gracias a Jesús, pero se distrajeron con la vida. Tal vez pensaron, "Le daré las gracias a Jesús mañana, o la semana próxima".

El único leproso que regresó nos enseña muchas lecciones.

1. Sé agradecido cuando Dios te bendice.

2. Es rudo no ser agradecido.

3. Cuando Dios te bendice abundantemente, di gracias de una manera especial. El leproso que regresó no susurró gracias en el oído de Jesús, lo alabó a gritos.

4. No pospongas las cosas importantes. Eso incluye tu oración diaria e ir a la iglesia. ¿Cuándo regresó el leproso y le dio las gracias a Jesús? Inmediatamente. No lo pospuso.

5. Cuando reconocemos las bendiciones de Dios, nos llenamos de alegría.

Cada persona en la historia de la Biblia tiene una lección que enseñarnos. Cada domingo, en la Misa, piensa sobre las personas en las lecturas y en qué lección Dios está tratando de enseñarte por medio de su vida.

## Dios Me ha Bendecido.
## Yo lo agradezco.

Una de las maneras en que podemos amar a Dios es siendo agradecidos por todas las maneras en que Él nos ha bendecido. Dios nos bendice de mil maneras todos los días. Pero con frecuencia damos por hecho estas bendiciones.

¿Puedes ver? ¡Dios te ha bendecido! Imagina cómo es estar ciego. Todos los días ves mil cosas, pero ¿cuándo fue la última vez que le agradeciste a Dios por darte la vista? El sentido de la vista es una bendición increíble, pero a menudo lo tomamos por sentado. ¡Dios te ha bendecido! Si puedes leer, ¡Dios te ha bendecido! Si no estás en cama enfermo/a, ¡Dios te ha bendecido! Si tienes personas que se interesan por ti, ¡Dios te ha bendecido! Si estás recibiendo una educación y aprendiendo a amar el aprendizaje, ¡Dios te ha bendecido! Si en tu vida alguien te ama tanto que quiere que aprendas sobre Dios y su Iglesia, ¡Dios te ha bendecido! Si tienes agua pura para beber, comida para comer, y un lugar para dormir, ¡Dios te ha bendecido! Si vives en un país donde hay libertad y justicia, ¡Dios te ha bendecido!

La lista sigue y sigue. ¡Dios te ha bendecido! Dios está bendiciéndote de mil maneras todos los días. Algunas de estas bendiciones las das por hecho porque Él te las da con frecuencia, como ¡el aire que respiras, el agua que bebes, los alimentos que comes, y la cama en que duermes! Es por esto que es importante hacer tiempo cada día para contar nuestras bendiciones.

La respuesta perfecta a las bendiciones de Dios tiene dos partes: Primera, ser agradecido; segunda, compartir tus bendiciones con el prójimo.

Así como el leproso que regresó para alabar a Jesús a gritos, nosotros también debemos expresarle nuestra gratitud a Dios por todas sus bendiciones.

# Compartiendo tus Bendiciones

La segunda manera de responder perfectamente a las bendiciones de Dios es compartirlas. ¡Dios te bendice para que tú puedas bendecir a los demás! Hay más maneras de bendecir a los demás que estrellas en el cielo. Puedes bendecir a alguien ayudándolo con algo. Puedes bendecir a alguien escuchando lo que tiene que decir. Puedes bendecir a tus padres llevando una buena vida. ¡Así es! Los buenos hijos son una gran bendición para sus padres. Puedes bendecir a alguien rezando por esa persona y pidiéndole a Dios que la cuide. Puedes bendecir a alguien ayudando a esa persona a convertirse en la-mejor-versión-de-sí-misma.

Pocas cosas en la vida te traerán más alegría que compartir las bendiciones de Dios con los demás. Pero para compartir tus bendiciones con los demás necesitas estar muy claro sobre una cosa: ¡Dios te ha bendecido!

De modo que cuando recuestes la cabeza en tu almohada esta noche, susurra calladamente, "Soy bendecido, soy bendecida. Gracias, Dios, por bendecirme hoy. Dios me ha bendecido."

# Muestra lo que Sabes

## Verdadero o Falso

1. _____ Estás en un gran camino con Dios.

2. _____ No tienes nada por qué estar agradecido.

3. _____ La gratitud es la peor respuesta a cualquier bendición.

4. _____ Dios quiere que te conviertas en la-mejor-versión-de-ti-mismo.

5. _____ A Dios le gusta un corazón agradecido.

## Llena los Espacios en Blanco

1. La bendición más grande que Dios te ha dado es

   la _____.

2. Cuando contamos nuestras bendiciones nos llenamos

   de _____ y _____.

3. La _____ _____ es la más grande y
   famosa familia del mundo .

4. El _____ es el principio de tu nueva vida en Jesús.

5. La _____ nos recuerda que en el Bautismo
   Dios nos bendice con una misión especial y nos llena con el
   Espíritu Santo.

6. Eres miembro de la _____ de Dios.

7. Cuando Dios te bendice abundantemente di _____ de una manera especial.

8. Cada persona en cada historia de la Biblia tiene una _____ que enseñarnos.

9. Estoy _____.

10. Dios te bendice para que puedas _____ al prójimo.

### Lista de Palabras

| | | | | | |
|---|---|---|---|---|---|
| CONFIRMACIÓN | VIDA | ALEGRIA | GRACIAS | BENDECIDO/A | FAMILIA |
| IGLESIA CATÓLICA | BAUTISMO | BENDECIR | GRATITUD | LECCIÓN | |

# Diario con Jesús

Querido Jesús,

Soy muy bendecido/a porque . . .

_____

_____

_____

_____

_____

_____

_____

_____

# Oración Final:

Una de las oraciones más famosas es el Canto de Gratitud de María, llamado el Magníficat:

Proclama mi alma la grandeza del Señor,
y mi espíritu se alegra en Dios mi Salvador,
porque se fijó en su humilde esclava,
y desde ahora todas las generaciones me llamarán bendecida.
El poderoso ha hecho grandes cosas por mí:
¡Santo es su Nombre!

Adaptado de Lucas 1,46–49

Esta fue una de las maneras en que María le mostró su enorme gratitud a Dios, Tú también puedes alabar a Dios dando gracias, mañana, tarde y noche. Vamos a alabar a Dios ahora mismo con nuestra propia oración:

Señor mi Dios, gracias por todas las maneras en que me has bendecido en el pasado, todas las maneras en que me has bendecido hoy, y todas las maneras en que planeas bendecirme en el futuro. Yo sé que tienes grandes planes para mí.
Ayúdame a no dudar nunca de Ti.

Amen.

# 2

# La-Mejor-Versión-de-Ti-Mismo

---

Dios nuestro, Padre amoroso,
gracias por todas las formas en que me bendices.
Ayúdame a estar consciente de que cada persona,
cada lugar, y cada aventura que experimento
es una oportunidad para amarte más.
Lléname con el deseo de cambiar y crecer,
y dame la sabiduría para escoger ser
la-mejor-versión-de-mí-mismo en
cada momento de cada día.

Amén.

# La Felicidad y el Libre Albedrío

¡Dios te ha bendecido! Una de las bendiciones más grandes que Dios te ha dado es la habilidad para tomar decisiones. A esto lo llamamos libre albedrío.

El libre albedrío es el regalo que Dios nos da para permitirnos tomar nuestras propias decisiones. Cada vez que tomamos una decisión, Dios espera que escojamos lo que es bueno y correcto, y lo que nos ayude a convertirnos en la-mejor-versión-de-nosotros-mismos.

Dios te ha dado libre albedrío y quiere que te conviertas en una persona que sabe tomar decisiones. Eres joven y puede parecer que las personas siempre están diciéndote qué hacer. Mas tú ejerces tu libre albedrío de mil maneras diferentes cada día. ¿Cuáles son algunas maneras en las que has ejercido tu libre albedrío esta semana?

Dios quiere enseñarte cómo tomar grandes decisiones y cómo hacer lo correcto porque quiere que seas feliz.

Hacer lo correcto es también una de las maneras de mostrar que amamos a Dios, al prójimo y que nos amamos a nosotros mismos. Dios quiere que tu amor sea grande y generoso. Quiere que seas bondadoso, amoroso, considerado, compasivo, servicial, y tolerante.

Aprende a decir sí con Dios. Esto quiere decir que antes de decir sí a cualquier cosa, te preguntes: ¿Querrá Dios que diga sí a esto? ¿Esto me ayudará a convertirme en la-mejor-versión-de-mí-mismo?

También aprende a decir no con Dios. Antes de decir no a cualquier cosa, pregúntate: ¿Querrá Dios que diga no a esto?

Di sí con Dios y di no con Dios, y tu amor a Dios y al prójimo será grande y generoso. Este es el camino hacia la felicidad.

# Tomando Decisiones

Una de las habilidades más prácticas que puedes desarrollar en la vida es convertirte en una persona que puede tomar decisiones. El Rey Salomón era llamado "Salomón el Sabio" porque sabía tomar decisiones.

Salomón tenía doce años de edad cuando se convirtió en rey, y estaba muy nervioso sobre cómo tomaría todas las decisiones que un rey necesita tomar. Una noche Dios se le apareció en un sueño, y le dijo que le daría cualquier cosa que pidiera. Salomón le pidió a Dios sabiduría.

Dios quiere que tú también te conviertas en un gran tomador de decisiones.

Hemos hablado sobre cómo Dios quiere que te conviertas en la-mejor-versión-de-ti-mismo y vivas una vida santa. Pero esto no es posible, a menos que llegues a ser realmente bueno tomando decisiones.

Recuerda, Dios no espera que te conviertas en un sabio y aprendas a tomar grandes decisiones tu solo. Él te guiará. Una manera en que Dios nos guía es dándonos leyes. Dios nos da direcciones a seguir, las cuales están designadas a ayudarnos a vivir una vida feliz y santa, guiándonos para así tomar grandes decisiones.

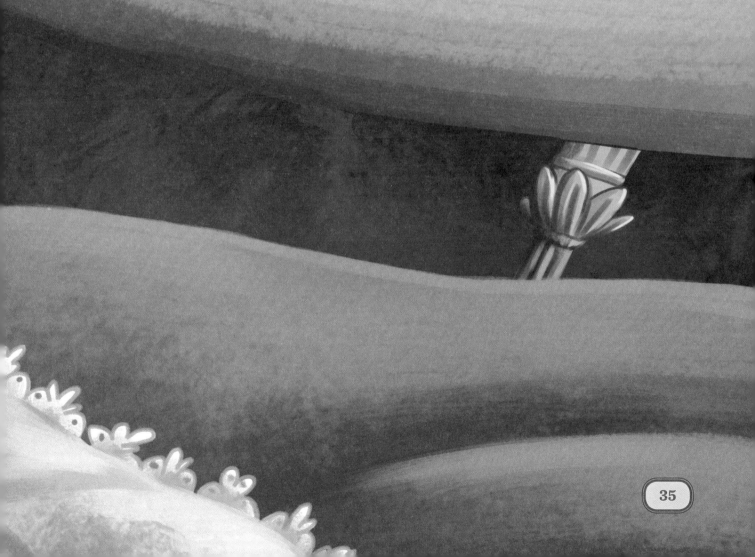

# La Mejor Manera de Vivir

Moisés fue un gran líder elegido por Dios para guiar a los israelitas a salir de la esclavitud en Egipto. Los israelitas eran el pueblo escogido de Dios, y Él los bendijo cuidándolos.

Dios ayudó a los israelitas a escapar de la esclavitud en Egipto dividiendo el Mar Rojo. Cuando el pueblo estaba hambriento, Él les envió una comida especial del Cielo llamada maná. Cuando estaban sedientos, hizo salir agua de una roca para que bebieran. Y Dios los guío a la Tierra Prometida, un país fabuloso lleno de alimentos y agua pura, donde podían vivir juntos como una gran familia.

Pero en el camino, las personas se volvieron intranquilas y desagradecidas, empezaron a quejarse, y le volvieron la espalda a Dios de muchas maneras. También discutían entre ellas acerca de cuál era la mejor manera de vivir.

Sin embargo, Dios no se dio por vencido con su pueblo. Aunque le habían dado la espalda y habían pecado en su contra, y aunque no estaban siendo la-mejor-versión-de-sí-mismos, les dio otra oportunidad.

# Dios le Habla a Moisés

Dios invitó a Moisés a subir a una montaña muy alta como representante del pueblo. En la cima del Monte Sinaí le habló a Moisés a través de una zarza ardiendo. También le dio su ley escrita en dos tablas de piedra — los Diez Mandamientos.

Los Diez Mandamientos son una bendición que Dios le dio a su pueblo. Ellos nos ayudan a crecer en virtud, y a vivir una vida santa.

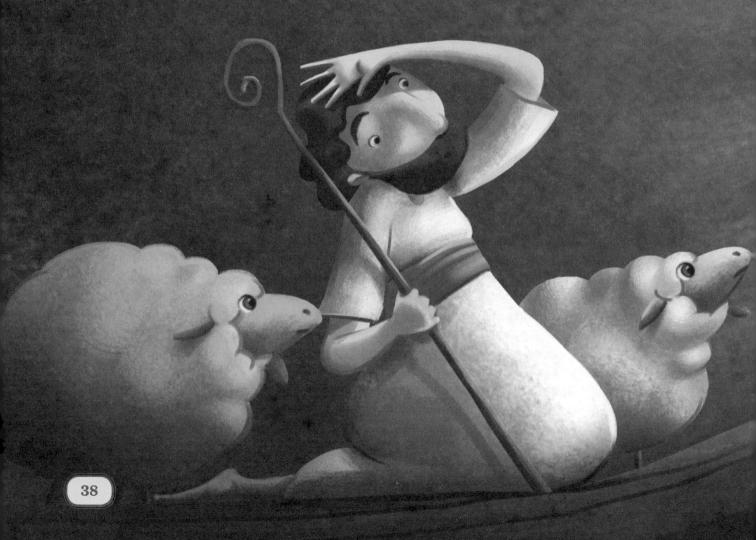

# Los Diez Mandamientos

Los Diez Mandamientos nos muestran la mejor manera de vivir, y son tan importantes hoy como lo fueron hace miles de años cuando Moisés los trajo del Monte Sinaí. Nos indican el camino de la sabiduría, y llevan a toda la humanidad hacia la paz, la armonía, la alegría, y la santidad.

Siempre somos más felices cuando andamos en los caminos de Dios, cuando obedecemos sus leyes.

¿Cuáles son los Diez Mandamientos?

1. **Amarás a Dios sobre todas las cosas**.

2. **No tomarás el Nombre de Dios en vano**.

3. **Santificarás las fiestas**.

4. **Honrarás a tu padre y a tu madre**.

5. **No matarás**.

6. **No cometerás actos impuros**.

7. **No robarás**.

8. **No dirás falso testimonio ni mentirás**.

9. **No consentirás pensamientos ni deseos impuros**.

10. **No codiciarás los bienes ajenos**

¿Qué mandamiento te resulta más difícil guardar?

# El Gran Mandamiento

Moisés vivió más de mil años antes de que Jesús naciera. Después de bajar de la montaña, el pueblo trató de caminar con Dios y de vivir una vida santa obedeciendo sus mandamientos. Algunos días lo hicieron muy bien, y otros días se rindieron a la tentación y al pecado.

Con el paso de los años, cada vez más personas le dieron la espalda a Dios y a su ley. Dejaron de tratar de vivir una vida santa, se confundieron acerca de la mejor manera de vivir, y hacían excusas por su conducta.

Mas Dios todavía amaba a su pueblo. De modo que cuando el momento apropiado llegó, envió a su único hijo, Jesús, para salvar a la gente de sus pecados y de su confusión y mostrarles la mejor manera de vivir.

Un día, Jesús estaba en la sinagoga escuchando y enseñando, cuando alguien le preguntó: "Maestro, ¿cuál es el mandamiento más importante de la ley?" Jesús respondió, "Amarás al Señor tu Dios con todo tu corazón, con toda tu alma, y con toda tu mente. Este es el gran mandamiento. Y el segundo es: Amarás a tu prójimo como a ti mismo" (Mateo 22,36–40).

# Ámense los Unos a los Otros

Si amamos a Dios con todo nuestro corazón, con toda nuestra alma, y con toda nuestra mente, cada día debemos tratar de convertirnos en la-mejor-versión-de-nosotros-mismos, de vivir una vida santa y de obedecer los mandamientos de Dios.

Jesús quería que todos supieran que no es suficiente simplemente decir que amamos a Dios. Él quería que supiéramos que una de las maneras más poderosas de mostrarle a Dos que lo amamos es amando al prójimo. Jesús siempre estaba defendiendo a las personas que no podían defenderse. Y nos enseña a tratar a los demás como queremos ser tratados.

Dios está tratando constantemente de mostrarnos la mejor manera de vivir. Le dio los Diez Mandamientos a Moisés para compartirlos con nosotros de modo que pudiéramos vivir una vida santa. Envió a Jesús para aclarar la confusión acerca de lo que está bien y lo que está mal. Después que Jesús murió, resucito de entre los muertos, y ascendió al Cielo, Dios Padre envió el Espíritu Santo para guiarnos. También nos ha dado la Biblia y la una iglesia que es Santa, Católica y Apostólica, para ayudarnos a responder las preguntas que tengamos a lo largo del camino.

Recuerda que estás caminando con Dios. A lo largo del camino vas a tener muchas preguntas. Eso está bien. Todos tenemos preguntas en nuestro camino con Dios. Dentro de poco, hablaremos sobre qué hacer cuando no sepas qué hacer.

# Tentación, Pecado, y Gracia

Aunque Dios está tratando constantemente de mostrarnos la mejor manera de vivir, de vez en cuando somos tentados a alejarnos de su camino.

¿Qué es la tentación? Es el deseo de hacer algo que no es prudente o incorrecto.

Experimentamos la tentación de mil maneras. A veces viene en forma de pensamientos.

Podemos pensar, "Quizás debería copiar la tarea de mi amigo y así no tendría que hacerla yo". A veces nuestros amigos nos llevan a la tentación. Uno de ellos puede decir, "Vamos al parque sin decírselo a nuestros padres". Y algunas veces nosotros llevamos a otras personas a la tentación sugiriendo cosas que no las ayudan a convertirse en la-mejor-versión-de-sí-mismas.

Sabemos en nuestro corazón que estas cosas están mal. ¿Cuándo fue la última vez que tuviste la tentación de hacer algo que sabías que no estaba bien?

# Venciendo la Tentación

La mejor manera de lidiar con la tentación es volvernos a Dios en oración y pedirle ayuda.

La oración es una conversación con Dios. No es algo que sólo hacemos antes de comer, o el domingo en la Iglesia, o en la noche antes de acostarnos. Todas éstas son maneras importantes de rezar, pero Dios quiere que hables con él durante el día. En cualquier momento del día, si tienes que tomar una decisión, es un gran momento para volverte a Dios en oración. Pídele que te guíe para tomar la mejor decisión.

Dios siempre quiere ayudarte a tomar la decisión correcta. Él te ha dado el libre albedrio para que puedas decir sí o no a cosas, pero quiere que lo uses para tomar buenas y sabias decisiones. Sobre todo, Dios te ha dado el libre albedrío para que puedas amar.

Algunas de las decisiones que tomas te ayudan a convertirte en la-mejor-versión-de-ti-mismo, y otras no. Algunas decisiones que tú tomas ayudan a otras personas a convertirse en la-mejor-versión-de-sí-mismas, y otras no. Dios quiere que siempre escojas la-mejor-versión-de-ti-mismo/a, y que ayudes a los demás a convertirse en todo para lo que Él los creó.

Miremos juntos un ejemplo.

Estás tomando un examen y no sabes la respuesta a una pregunta. Puedes tener la tentación de hacer trampa mirando la respuesta de otra persona. Mas hacer trampa no te ayudará a convertirte en la-mejor-versión-de-ti-mismo.

Vamos a rezar juntos ahora mismo sobre la tentación.

> **Señor, en cualquier momento**
> **que me sienta tentado a hacer**
> **algo que está mal y que no me**
> **ayude a convertirme en la-mejor-**
> **versión-de-mí-mismo/a, por favor,**
> **inspírame para escoger**
> **lo que es bueno y correcto.**
>
> **Amén.**

# ¿Qué es el Pecado?

Dios tiene un plan maravilloso para ti y para tu vida. Como Padre amoroso, quiere que te conviertas en la-mejor-versión-de-ti-mismo viviendo una vida santa.

Algunas veces cuando estás pensando tomar una decisión que sabes que no debes tomar, te entra una persistente sensación de asco en la boca del estómago. Esa sensación es la-mejor-versión-de-ti-mismo o tu conciencia, diciendo, "¡No, no, no! ¡No lo hagas! ¡Esta decisión no es buena para ti!"

Unas veces escuchas esa voz, te detienes y tomas una decisión mejor. Pero otras, sigues y tomas la decisión mala de todas maneras. ¿Qué le pasa a esa sensación de asco en tu estómago? Se empeora porque . . . ¡Has pecado en contra de Dios!

Cuando a propósito tomas una mala decisión, has pecado. Cuando pecas, tu rompes con los mandamientos de Dios escogiendo una acción que te aleja de Él. Unos pecados lastiman nuestra relación con Dios; éstos son llamados pecados veniales. Otros rompen nuestra relación con Dios; y son llamados pecados mortales.

# La Gracia de Dios

Pero no todo lo que nos hace sentir apenados o avergonzados es pecado. Los errores, los accidentes pueden hacernos sentir así también. Vamos a ver un ejemplo juntos.

Tal vez vuelcas la leche en el desayuno. Esto es un accidente, no un pecado. O quizás tropiezas con un juguete de tu hermana y lo rompes. Esto es un accidente, no un pecado. Quizás te equivocaste al responder alguna pregunta en tu examen de Matemáticas o deletreando en una prueba. Esto es un error, no un pecado.

Los accidentes y los errores ocurren. Lo que Dios quiere es que evitemos el pecado intencional, tomando buenas decisiones y guardando sus mandamientos.

La mejor manera de tratar el pecado es ir a la Reconciliación — confesarse. Cuando tu cuerpo se enferma, vas al médico y te ayuda a mejorarte. Cuando tu alma se enferma debido al pecado, vas a la Reconciliación y el sacerdote te ayuda a mejorar.

Dios perdona nuestros pecados por medio de la Reconciliación, y además nos da la gracia para ayudarnos a evitar el pecado en el futuro.

¿Qué es la gracia? Es la ayuda que Dios nos da para hacer lo que está bien y correcto.

La gracia de Dios nos ayuda a convertirnos en la-mejor-versión -de-nosotros-mismos, a crecer en virtud. Nos ayuda a vivir una vida santa. Nos ayuda a tener relaciones saludables. Nos permite compartir en su vida y en su amor.

# De la Biblia: Adán y Eva

A veces usamos nuestro libre albedrío de maneras que son buenas, y otras de maneras que nos hacen daño y dañan a otras personas. Esto es algo que descubrieron los primeros seres humanos. ¿Quiénes fueron los primeros seres humanos?

Adán y Eva.

Dios amó a Adán y a Eva tanto que los bendijo con el libre albedrío. Les dio un mundo hermoso en que vivir y tenían todo lo que necesitaban.

Porque los amaba tanto, les advirtió, "No toquen el árbol que está en medio del jardín ni coman de él, porque si lo hacen ¡morirán!"

Es importante comprender que la razón por la que Dios no quería que comieran el fruto era porque los amaba mucho y no quería que se hicieran daño.

Un día, Adán y Eva estaban en el medio del jardín, cerca del árbol prohibido con el fruto prohibido.

Una serpiente vino y empezó a hablarles. La serpiente les dijo, "Deben comer la fruta".

"No, no podemos", dijo Eva.

"¿Por qué no?", preguntó la serpiente.

"Si la comemos ¡moriremos!" Eva explicó.

"No, no morirán", dijo la serpiente.

En ese momento, Adán y Eva empezaron a dudar de todas las cosas buenas que Dios había hecho por ellos y les había dicho.

Entonces, Eva tomó la fruta y la comió. Le dio un poco a Adán, y él también la comió.

En seguida se dieron cuenta de que habían cometido un error terrible, y los entristeció. Esta es la historia del pecado original y la tentación. Original quiere decir "primero" (Adaptado de Génesis 3,1-7).

Adán y Eva experimentaron la tentación y el pecado, y también tú y yo. Ellos tomaron una mala decisión. Dios quiere enseñarnos cómo tomar buenas decisiones para que podamos vivir una vida rica, plena y feliz en este mundo — y vivir con Él en el Cielo eternamente felices.

# Sigue Tu Conciencia

Hemos estado explorando algunas de las muchas maneras en que Dios te ha bendecido. La vida es la bendición más grande. El libre albedrío es otra bendición fabulosa. Ambas conllevan una gran responsabilidad.

Para ayudarte a convertirte en la-mejor-versión-de-ti-mismo y a vivir una vida santa, Dios también te ha bendecido con una conciencia. La conciencia es la suave voz que en tu interior te anima a hacer el bien y a evitar el mal. Dios nos habla por medio de nuestra conciencia. Tu conciencia te anima a convertirte en la-mejor-versión-de-ti-mismo. También te advierte cuando estás pensando hacer algo que ofenderá a Dios y te hará infeliz.

Mientras más escuchemos la voz de nuestra conciencia y obedezcamos lo que nos dice, más fácil se vuelve oírla. Al principio puede ser difícil seguir la voz de nuestra conciencia. Muchas cosas son difíciles al principio. Pero no te des por vencido. Sigue tratando. Nunca dejes de tratar. Dios nunca se da por vencido contigo, y tú nunca debes darte por vencido contigo mismo.

Seguir nuestra conciencia nos hace felices. Ignorarla nos hace sentir intranquilos e infelices.

¿Sabes lo que es arrepentimiento? Es algo que deseas no haber hecho. Todos tus arrepentimientos provienen de ignorar nuestra conciencia.

Algunas veces estás pensando hacer algo, pero te entra esa sensación de asco dentro de ti y oyes una vocecita en tu interior aconsejándote que no lo hagas. Esa es tu conciencia. Si ignoras tu conciencia y haces eso, esa sensación de asco se profundizará en tu corazón y en tu alma. Pero si la escuchas y haces lo correcto, te alegrará haberlo hecho y te llenará de gozo.

Sigue tu conciencia. Nunca te arrepentirás de haberlo hecho.

# Cuando No Sabes qué Hacer

En nuestra vida habrá veces en las que no estemos seguro de qué hacer. Cuando te enfrentes con una decisión y no estés seguro de qué hacer, aquí tienes unas sugerencias para ayudarte a tomar una buena decisión.

1. Encuentra un lugar silencioso y tomate unos minutos para escuchar a tu conciencia. Pregúntate: ¿Qué está mi conciencia animándome a hacer?

2. Piensa en los Diez Mandamientos. Pregúntate: ¿Los Diez Mandamientos me ayudan a ver claramente lo que debo hacer en esta situación?

3. Pídele consejo a tus padres, a tu sacerdote, a tu catequista, o a tu maestro.

4. Rézale al Espíritu Santo y pídele que te ayude a tomar la mejor decisión.

Nadie es perfecto. Habrá momentos en los que le darás la espalda a Dios y a su manera de hacer las cosas. Habrá momentos en los que abandonarás la-mejor-versión-de-ti-mismo. Habrá momentos en los que vivirás una vida egoísta en lugar de una vida santa.

Cuando eso pase, reconócelo. No te desanimes. Ve a la Reconciliación y empieza de nuevo. Nuestro Dios es un Dios de segundas oportunidades. ¡Alabado sea Dios! Todos necesitamos otra oportunidad de vez en cuando, y Dios siempre está dispuesto a darnos otra oportunidad y un nuevo comienzo. Esa es justo una de las muchas razones por las que Dios nos da el increíble regalo de la Reconciliación.

# Muestra lo que Sabes

## Verdadero o Falso

1. _____ Siempre somos más felices cuando andamos por el camino de Dios.

2. _____ Si amamos a Dios con todo nuestro corazón, con toda nuestra alma, y con toda nuestra mente no lo escucharemos.

3. _____ Una de las maneras más poderosas de mostrarle a Dios que lo amamos es siendo malos con el prójimo.

4. _____ Dios está tratando constantemente de mostrarnos la mejor manera de vivir.

5. _____ Dios tiene un plan maravilloso para ti y para tu vida.

## Llena los Espacios en Blanco

1. Dios quiere que te conviertas en
   un gran _____ _____ _____.

2. Una de las grandes bendiciones que Dios te ha dado es la
   habilidad para tomar _____.

3. Dios te quiere tanto que te bendice con el _____ _____.

4. La mejor manera de tratar el pecado
   es ir a la _____.

5. Guiándonos para que tomemos grandes decisiones, las leyes de Dios están designadas a ayudarnos a vivir una vida

_____ y _____ .

6. El camino a la felicidad comienza diciendo _____ con Dios y _____ con Dios.

7. La mejor manera de manejar la tentación es volverte a Dios en _____ pedirle que te ayude.

8. Seguir nuestra conciencia nos hace _____ y el ignorar nuestra conciencia nos hace intranquilos

e _____ .

9. La _____ de Dios nos ayuda a convertirnos en la-mejor-versión-de-nosotros-mismos.

10. Nuestro Dios es un Dios de _____ oportunidades.

### Lista de Palabras

| | |
|---|---|
| ORACIÓN | SANTA |
| FELIZ | LIBRE ALBEDRÍO |
| SÍ | NO |
| GRACIA | RECONCILIACIÓN |
| TOMADOR DE DECISIONES | FELIZ |
| SEGUNDAS | DECISIONES |
| TENTACIÓN | INFELIZ |

# Diario con Jesús

Querido Jesús,

Yo soy la-mejor-versión-de-mí-mismo/a cuando . . .

_____

_____

_____

_____

_____

_____

_____

# Oración Final

A lo largo de la Biblia leemos sobre ángeles ayudando a personas. Hay tres Arcángeles a quienes Dios también ha dado gran poder. Sus nombres son Miguel, Gabriel, y Rafael. La Iglesia también nos enseña que Dios le ha asignado un ángel a cada persona — incluyéndote a ti. Llamamos a este ángel tu Ángel de la Guarda.

Tu Ángel de la Guarda está ahí para guiarte y protegerte. La Iglesia nos invita a rezarle esta oración especial a nuestro Ángel de la Guarda:

**Ángel de mi guarda, dulce compañía
no me desampares ni de noche ni de día.
Ángel de Dios, que eres mi custodio,
ilumíname, guárdame, rígeme y gobiérname en este día.**

**Amén**.

Esta es una gran oración para empezar el día. También es una gran oración cuando tenemos miedo. Hasta puedes darle un nombre a tu Ángel de la Guarda, para que puedas hablar con él o ella durante el día.

# 3

# Dios Envió a Jesús para Salvarnos

Dios nuestro, Padre amoroso,
gracias por todas las formas en que me bendices.
Ayúdame a estar consciente de que cada persona,
cada lugar, y cada aventura que experimento
es una oportunidad para amarte más.
Lléname con el deseo de cambiar y crecer,
y dame la sabiduría para escoger ser
la-mejor-versión-de-mí-mismo en
cada momento de cada día.

Amén.

# El Desorden

Desde el principio, los seres humanos han estado tratando de encontrar la mejor manera de vivir. Con frecuencia Dios envió a grandes profetas para que dirigieran y guiaran a las personas, pero muchas de ellas no los escucharon. Finalmente, cuando el momento fue apropiado, Dios envió a Jesús, su único Hijo.

El mundo era un desorden porque las personas estaban confundidas acerca de quiénes eran y acerca del propósito de la vida. Estaban perdidas. Necesitaban ser salvadas de su egoísmo y de sus pecados.

De modo que Dios envió a su Hijo Jesús, para salvarlas. Y Él no envió a Jesús solamente por las personas de ese tiempo; lo envió para salvar a las personas de todos los tiempos. ¿Necesitas ser salvado de tu egoísmo?

Ves, tu historia y la de Jesús están conectadas. La historia de Jesús no se trata de lo que pasó hace dos mil años. También se trata de tu amistad con Él hoy.

Todos necesitamos ser salvados, y las personas que necesitan ser salvadas necesitan un salvador. Jesús es el Salvador del Mundo. ¿Qué significa esto?

# Todos Necesitamos Salvación

Imagina que has ido a una tienda a comer helado, aunque no tenías dinero para pagarlo. Eso estaría mal y sería ilegal. El dueño de la tienda tendría todo el derecho a enojarse y llamar a la policía. Pero justo en ese momento un amigo tuyo entra en la tienda, se da cuenta de lo que está pasando y le paga al dueño con su dinero por el helado que te robaste. Tu amigo ha pagado tu deuda. En esta situación, tu amigo te salvó.

Otro ejemplo sería si fueras a la playa a nadar; te atrapara la marea y te llevara mar afuera. A medida que las olas crecen y tú te cansas, empiezas a ahogarte.

Pero justo en ese momento llega un salvavidas en un bote de rescate y te lleva seguro de regreso a la costa. El salvavidas te ha salvado.

# Jesús es Tu Salvador

Ahora, piensa en todos los hombres, mujeres, y niños desde el comienzo de los tiempos, en las muchas cosas que han hecho que son egoístas y malas y que ofenden a Dios. Jesús vino y pagó el precio por todos esos pecados muriendo por ti y por mí en la cruz. ¿Por qué? Porque quiere que seamos felices con él para siempre en el Cielo. Asombroso, ¿no es cierto? Cuando Jesús estaba en la cruz, pensó en ti. Te amó entonces y te ama ahora.

Muchas personas pueden salvarte de varias situaciones, pero sólo Jesús puede salvarte de tus pecados.

# Nacimiento e Infancia de Jesús

Jesús tenía una enorme misión: salvar a todos los pecadores de la historia de sus pecados. Esa es una gran misión, ¿cierto?

Y sin embargo, Dios en su sabiduría decidió no venir como el rey de una gran nación o como un poderoso líder político. Ni siquiera vino como el hijo de un hombre rico, sino como un bebé nacido en un pesebre.

¿Qué lección nos enseña esto? Los caminos de Dios no son los de los hombres.

Dios tiene una manera única de hacer las cosas. Su sabiduría está mucho más allá de la de los hombres y mujeres más sabios de este mundo. Sus caminos son muy superiores a los nuestros. Él tiene un plan de vida para ti, y es mucho mejor de lo que tu te pudieras

imaginar. Pídele a Dios que te llene con su sabiduría, para que puedas aprender su manera de hacer las cosas.

Dios vino al mundo como un niñito indefenso. Cada año celebramos el milagro del nacimiento de Jesús. La Navidad es el cumpleaños de Jesús. Pero si es el cumpleaños de Jesús ¿Por qué recibes tú regalos?

# Los Años Tranquilos

Sabemos muy poco sobre los treinta años de la vida de Jesús que siguieron a su nacimiento. ¿Qué piensas que estuvo haciendo?

Todo sugeriría que Jesús vivió una vida normal, que sus rutinas diarias habrían sido similares a las de otros niños con los que creció.

Captamos una visión de la infancia de Jesús cuando estuvo viajando a Jerusalén con María y José. Durante este viaje Jesús se separó de sus padres. Eventualmente ellos lo encontraron en el Templo.

¿Alguna vez has perdido algo importante y después lo has encontrado nuevamente? ¿Cómo te sentiste cuando te diste cuenta de que lo habías perdido? ¿Cómo te sentiste cuando lo encontraste? ¿Cómo piensas que María y José se sintieron cuando no podían encontrar a Jesús?

# El Ministerio de Jesús

La siguiente vez que oímos sobre Jesús ocurre en las bodas de Caná. Se les acabó el vino y María le pide a Jesús que ayude. Entonces Jesús pidió a los sirvientes que llenaran seis vasijas grandes con agua y Jesús transformó el agua en vino.

Esto se convierte en su primer milagro.

No hay duda de que la noticia de este milagro se propagó rápidamente, lo cual haría muy difícil para Jesús volver a su vida normal. Este fue el comienzo de la vida pública de Jesús, durante la cual Él viajó por la región enseñando y curando a muchas personas.

Jesús era totalmente divino, pero también totalmente humano. Le encantaban los aspectos cotidianos de la vida como ser humano. Con frecuencia lo vemos disfrutando una comida con amigos y extraños. Aquí lo vemos celebrando en una boda. Jesús amaba la vida.

# Los Discípulos

Una de las cosas que le encantaban a Jesús sobre la vida era la amistad. Al principio de su ministerio, se rodeó de doce apóstoles. Él personalmente invita a cada uno de ellos a seguirlo. Sabía que iba a morir, y que otros serían necesarios para continuar la misión.

En cada lugar y a cada momento, Jesús llama a hombres, mujeres y niños a seguirlo y a continuar su misión. Él te invita a ti a convertirte en uno de sus discípulos en el mundo de hoy.

¿Cómo puedes continuar la misión de Jesús?

# Las Parábolas de Jesús

A lo largo de su vida pública Jesús usó parábolas para compartir su sabiduría con la gente común. Estas parábolas eran fáciles de entender para la gente común porque se basaban en ejemplos de la vida diaria.

Jesús enseñó de esta manera porque los líderes religiosos de su tiempo lo habían hecho todo muy complicado. Jesús quería que la gente común pudiera entender su mensaje y se encaminara hacia Dios. Él nos enseñó que la simplicidad es genial. Una de las cosas más difíciles de hacer en el mundo es tomar algo complejo y hacerlo simple.

¿Cuál es tu parábola favorita?

# Los Milagros de Jesús

Jesús hizo cientos de milagros. Sanó a los enfermos, hizo ver a los ciegos, caminar a los paralíticos, y consolaba a los afligidos. Él no hizo estas cosas para alardear o para asombrar a las personas, sino por su gran misericordia hacia las personas. Él quería demostrar la compasión asombrosa que tenía por los que estaban luchando y sufriendo. También quería que las personas tuvieran absoluta claridad de que Él no era simplemente un gran maestro, sino que Él era Dios.

Dios tiene una gran compasión por su pueblo. Una de las maneras en que podemos compartir la misión de Jesús es llevando su compasión a todos los que se crucen por nuestro camino en la vida.

Si tú pudieras hacer uno de los milagros de Jesús hoy, ¿Cuál escogerías? ¿Por qué?

# La Cruz, la Resurrección, y la Ascensión

La mayoría de las personas pensó que era otro simple viernes, pero no lo fue. En inglés se le llama Viernes Bueno (Good Friday) al día en que Jesús murió en la cruz, porque fue el día en que Jesús nos salvó de nuestros pecados y reparó nuestra relación con Dios. Mientras que en español, en alemán y en otros idiomas se le ha llamado Viernes de Dolores porque ese día Jesús fue golpeado, abusado, mofado, escupido, maldecido y crucificado. Jesús sabía que todo esto pasaría y Él dejó que pasara de todas maneras porque nos amaba tanto que estuvo dispuesto a dar su vida por nosotros. Y así santificó ese viernes, por lo que hoy en día también se le llama Viernes Santo en español.

Dios te ama tanto, que hará lo inimaginable para probarte su amor por ti.

# La Resurrección

El domingo por la mañana, tres días después de morir en la cruz, Jesús resucitó de entre los muertos. Llamamos a este acontecimiento la Resurrección. Nunca antes y nunca desde entonces, alguien se ha resucitado de entre los muertos.

La Resurrección es el evento más importante de la historia.

Una de las razones por las que Jesús murió en la cruz y resucitó de entre los muertos fue para que nosotros pudiéramos ir al Cielo. Dios quiere que vivas con Él y con los ángeles y los santos en el Cielo para siempre.

¿Quieres ir al Cielo? ¿Por qué?

# La Ascensión

Cuarenta días después de resucitar de entre los muertos, Jesús se le apareció a muchas personas. Entonces llevó a los once discípulos restantes a un lugar cerca de Betania. Los bendijo y después ascendió al Cielo, cuarenta días después de la Resurrección.

A nos referimos a este momento como la Ascensión.

Jesús es un puente entre el Cielo y la tierra. Ascendiendo al Cielo, despejó el camino para que nosotros recibamos la bendición suprema: la Vida Eterna.

Dios te ha bendecido.

¿Por qué habían solamente once discípulos en el momento de la Ascensión?

# De la Biblia: Pentecostés

Antes de que Jesús dejara a los discípulos para ascender al Cielo, Él les prometió que enviaría al Espíritu Santo para que los ayudara a vivir una vida buena y a llevar a cabo su misión. Jesús te hace la misma promesa a ti. Él prometió enviar al Espíritu Santo para guiarte a tomar grandes decisiones, a convertirte en la-mejor-versión-de-ti-mismo, a vivir una vida santa, y a ayudar a otras personas a experimentar el amor de Dios.

En Pentecostés Jesús cumplió su promesa.

Después que Jesús murió en la cruz, resucitó de entre los muertos, y ascendió al Cielo, muchas personas estaban enojadas con los discípulos, y ellos tenían miedo de lo que les pudieran hacer.

Un día, todos estaban reunidos en una habitación superior cuando oyeron un fuerte sonido como si el viento aullara. Entonces, el Espíritu Santo descendió sobre ellos y los llenó con la sabiduría y el valor que necesitaban para llevar a cabo la misión que Jesús les había confiado.

Cuando te bautizaron, el Espíritu Santo vino sobre ti; y cuando seas confirmado, los dones del Espíritu Santo serán fortalecidos en ti. Esto te permitirá continuar la misión de Jesús a tu manera.

Antes de la venida del Espíritu Santo, los discípulos tenían miedo. Después de recibir al Espíritu Santo ellos se llenaron de valor, y salieron a cambiar el mundo. Si alguna vez tienes miedo, pídele al Espíritu Santo que te llene de valor.

Hay muchas cosas que no podemos hacer por nosotros mismos, pero con la gracia de Dios y el poder del Espíritu Santo podemos hacer grandes cosas.

# Tú y la Iglesia

Pentecostés es el cumpleaños de la Iglesia. Celebramos Pentecostés todos los años, igual que tú celebras tu cumpleaños.

Jesús nos dio la Iglesia para pasar su mensaje a toda la gente en todos los lugares y en todo momento. El domingo, en la Misa, el mensaje de Jesús es compartido contigo y con tu familia.

La Iglesia también comparte los Sacramentos, para que puedas seguir recibiendo la gracia que necesitas para vivir una vida de virtud, convertirte en la-mejor-versión-de-ti-mismo, y vivir una vida santa.

Dios te ha bendecido al ser miembro de la única Iglesia que es Santa, Católica y Apostólica.

¿Crees que exista una diferencia entre ser cristiano hoy y ser cristiano hace dos mil años?

# Tú

La historia de Jesús no se detiene aquí. De hecho, para ti, la historia de Jesús sólo está empezando. Él quiere que seas parte de su historia.

Es real. Justo como los leprosos, el hijo pródigo, la mujer junto al pozo, y los discípulos, Jesús quiere que tú también seas parte de su historia.

Si pudieras ser cualquier persona en la historia de Jesús, ¿quién serías?

La historia de Jesús nunca termina. Se está desarrollando aquí, hoy, ahora mismo. Y Jesús quiere que seas parte de su historia.

Dios te ha bendecido al ser parte de su historia. El desorden del mundo a veces puede entristecernos, pero Jesús quiere que seamos extraordinariamente felices. Él nos invita a tener una relación dinámica y personal con Él para poder compartir su felicidad con nosotros y que nosotros podamos compartirla con el prójimo.

Así que cada mañana cuando te despiertes, y cada noche antes de acostarte, toma un minuto para hablar con Jesús.

# Muestra lo que Sabes

## Verdadero o Falso

1. _____ Cuando Jesús estaba en la cruz, pensó en ti porque te ama.

2. _____ Jesús quiere que te conviertas en uno de sus discípulos.

3. _____ Dios te ha bendecido al ser miembro de la Iglesia Católica.

4. _____ Los Sacramentos te ayudan a ser la peor versión de ti mismo.

5. _____ Jesús quiere que seas parte de su historia.

## Llena los Espacios en Blanco

1. Jesús _____ la vida.

2. Toma _____ poder ver los caminos de Dios y andar en ellos.

3. Jesús quería que las personas _____ pudieran entender su mensaje y encaminarse hacia Dios.

4. Jesús hizo milagros porque sentía una tremenda _____ por la gente.

5. Dios irá a extremos inimaginables para probar su _____ por ti.

6. La _____ es el evento más importante de la historia.

7. Dios quiere que vivas con Él, con los ángeles y con los santos en el _____ para siempre.

8. Jesús es un _____ entre el Cielo y la tierra.

9. Con la gracia de Dios y el poder del _____ _____ podemos hacer grandes cosas.

10. Jesús te invita a tener una relación _____ y _____ con Él para poder compartir su felicidad contigo y que tú la compartas con el prójimo.

**Word Bank**

AMOR  DINÁMICA  ESPÍRITU SANTO  SABIDURÍA  CIELO  MISERICORDIA

AMA  PERSONAL  COMUNES  PUENTE  RESURRECCIÓN

# Diario con Jesús

Querido Jesús,

Aprender sobre tu vida me enseña que . . .

_____

_____

_____

_____

_____

_____

_____

# Oración Final

Jesús dijo, "Pidan y recibirán" (Mateo 7,7). En tu vida habrán momentos en los que no sabrás qué hacer. Esos son buenos momentos para volverte al Espíritu Santo y pedirle que te ilumine. En tu vida habrán momentos en que necesites ser alentado. El Espíritu Santo es un gran motivador. Vuélvete a Él y pídele que te aliente. En tu vida habrán momentos en los que tendrás miedo. Pídele al Espíritu Santo que te dé valor. En tu vida habrán momentos en los que no sabrás qué decir. Vuélvete al Espíritu Santo y pídele que te dé las palabras.

Todos necesitamos al Espíritu Santo diariamente. A medida que envejecemos dependemos menos de algunas personas y de algunas cosas, pero siempre necesitaremos que el Espíritu Santo nos guíe.

San Agustín se alejó mucho de Dios cuando era joven, pero cuando fue a la Reconciliación, volvió a Dios, y finalmente se convirtió en un gran sacerdote y obispo.

Recémos juntos esta oración al Espíritu Santo:

**Sopla sobre mí, Espíritu Santo, para que todos mis pensamientos sean santos. Actúa en mi, Espíritu Santo, para que también mi trabajo sea santo. Induce mi corazón, Espíritu Santo, para que ame solamente a aquello que es santo. Fortaléceme, Espíritu Santo, para defender todo lo que es santo. Guárdame, Espíritu Santo, para que yo siempre sea santo.**

**Amén.**

# 4

# Perdón y Sanación

---

Dios nuestro, Padre amoroso,
gracias por todas las formas en que me bendices.
Ayúdame a estar consciente de que cada persona,
cada lugar, y cada aventura que experimento
es una oportunidad para amarte más.
Lléname con el deseo de cambiar y crecer,
y dame la sabiduría para escoger ser
la-mejor-versión-de-mí-mismo en
cada momento de cada día.

Amén.

# Dios Ama las Relaciones Saludables

Dios ama las relaciones saludables. Él se deleita en su relación contigo, y en tus relaciones saludables con el prójimo.

Dios es un amigo perfecto porque siempre te ayuda a convertirte en la-mejor-versión-de-ti-mismo. Otras personas pueden pedirte que hagas cosas que pueden llevarte a convertirte en una versión de segunda clase de ti mismo, pero no Dios. Todo lo que Él te pide que hagas viene de su deseo de que te conviertas en la-mejor-versión-de-ti-mismo, que vivas una vida santa, y que seas feliz.

El perdón es esencial para las relaciones saludables. Dos de las lecciones más importantes de la vida son, cómo perdonar y cómo ser perdonado. Estas dos lecciones son parte del Padre Nuestro. Rezamos, "Perdona nuestras ofensas, así como nosotros perdonamos a los que nos ofenden". Estamos diciéndole a Dios que sentimos haber hecho algún mal y le pedimos que nos dé la gracia para perdonar a cualquiera que nos haya hecho mal.

# Perdón

¿Alguna vez has hecho algo sabiendo que estaba mal? ¿Cómo te hizo sentir?

Todos fallamos y tomamos malas decisiones algunas veces. San Pablo nos enseña que todos hemos pecado y no hemos estado a la altura de lo que Dios sueña para nosotros. Estas son sólo algunas de las razones por las que Dios nos bendice con el Sacramento de la Reconciliación.

¿Cuándo fue la última vez que perdonaste a alguien? ¿Cuándo fue la última vez que alguien te perdonó a ti?

No hablamos del perdón para culparnos o sentirnos mal acerca de nosotros mismos. Dios no quiere eso. Hablamos de estas cosas para poder hacer algo acerca de ellas.

# Max y Su Habitación

Aquí está una historia para ayudarnos a todos a entender. Un día, Max obtuvo su propia habitación. Todo estaba perfecto y en su lugar. Pero al día siguiente, después de la Iglesia, Max tiró su ropa especial para ir a misa en suelo cuando se cambio para salir a jugar con sus amigos. En ese momento, no se dio cuenta, pero éste fue el comienzo de un creciente problema.

El siguiente día, Max tiró su pijama en el suelo en vez de ponerla en su lugar. Esa tarde, después del fútbol, dejó su uniforme de fútbol en el suelo en medio de la habitación. Al otro día comió papitas y una barra de chocolate, y en lugar de poner los envoltorios en el basurero, los tiró en el suelo.

Esto continuó por tres semanas. Max siguió tirando cosas donde no iban. Entonces, un día, llegó a la casa y no podía abrir la puerta de su habitación. Fue a buscar a su madre y le preguntó, "Mamá, ¿por qué cerraste con llave mi cuarto?"

"Yo no cerré tu cuarto con llave", dijo su mamá.

"Bueno, no puedo entrar. Alguien tiene que haberla cerrado con llave".

La mamá de Max trató de entrar, pero no pudo. "Tal vez algo está bloqueando la puerta", dijo ella.

Los dos salieron y miraron por la ventana para ver qué estaba bloqueando la puerta. Se asombraron con lo que vieron. Todo lo que Max había estado dejando en el suelo durante semanas se había acumulado delante de la puerta y estaba impidiéndole entrar en su cuarto.

Cuando el papá de Max llegó a la casa, empujó la puerta fuertemente, forzando todo a moverse para que así Max pudiera trepar y entrar en su habitación.

Max pasó cuatro horas poniéndolo todo en su lugar. Puso su ropa en el armario o en el cesto de ropa sucia, puso todos sus juguetes en su lugar, y la basura en el basurero.

Cuando terminó, prometió nunca dejar que su habitación estuviera tan desordenada otra vez.

Así como Max desordenó su habitación, algunas veces nosotros desordenamos nuestra alma. Dejamos pecaditos por aquí y por allá, y antes de darnos cuenta, están amontonándose.

Jesús quiere trabajar contigo para ordenar tu alma. Eso es lo que va a hacer durante tu Primera Reconciliación.

# ¿Qué es un Sacramento?

Un Sacramento es la celebración del amor de Dios por la humanidad. Por medio de los Sacramentos Dios nos llena con la gracia que necesitamos para convertirnos en la-mejor-versión-de -nosotros-mismos, para crecer en virtud, y vivir una vida santa.

No es fácil convertirse en la-mejor-versión-de-ti-mismo/a.

No es fácil crecer en virtud.

No es fácil vivir una vida santa.

Necesitamos la ayuda de Dios. Necesitamos la gracia de Dios y el primer paso es saber que la necesitamos.

Imagina hacer un viaje de Nueva York a San Francisco. Empiezas caminando. No es difícil caminar por unas cuadras, pero es difícil caminar por casi tres mil millas de Nueva York a San Francisco.

Después de un par de días caminando, piensas, "Necesito una bicicleta". Pero después de un par de días montando bicicleta, eso tampoco parece tan bueno. Sigues pedaleando y entonces tu sacerdote llega a tu lado y te dice, "Raquel, lo que necesitas es un autobús". Llega el autobús y tú te subes. Resulta que Jesús es el que va manejando, y te dice, "Hola Raquel, yo voy a ayudarte a llegar allá".

Los Sacramentos y la gracia que recibimos a través de ellos son como el autobús de Jesús. Nos ayudan a llegar a dónde necesitamos ir — no a San Francisco, sino al cielo.

# ¿Qué es la Reconciliación?

Bueno, primero, la Reconciliación es un Sacramento. De modo que es una de las formas en que Dios nos bendice con la gracia para convertirnos en la-mejor-versión-de-nosotros-mismos, para crecer en virtud, y vivir una vida santa.

En particular, la Reconciliación es una oportunidad para hablarle a Dios sobre las veces que hemos fallado, que hemos tomado pobres decisiones, que no hemos sido la-mejor-versión-de-nosotros-mismos, o que le hemos dado la espalda a Él y a sus maravillosos planes para nosotros. La Reconciliación es una oportunidad para decirle que lo sentimos y pedirle perdón.

También es una oportunidad para que el sacerdote comparta algunas ideas sobre cómo podemos hacer las cosas mejor en el futuro. Nuestro sacerdote es uno de nuestros entrenadores espirituales. Los grandes campeones escuchan a sus entrenadores.

Todos fallamos, y eso puede pesar sobre nosotros. Si no vamos a la Reconciliación, nuestro corazón puede hacerse pesado. Por medio del Sacramento de la Reconciliación Dios perdona nuestros pecados y quita el peso de esas cosas de nuestro corazón, para que podamos vivir alegres y compartir su alegría con las demás personas.

# De la Biblia: El Padre Nuestro

Tú eres el hijo o hija de un gran Rey. Dios es ese gran Rey. Jesús quería que lo supieras. A lo largo de su vida nos recordó una y otra vez que somos hijos de Dios.

Con frecuencia, los discípulos vieron a Jesús salir hacia un lugar tranquilo para rezar. Tenían curiosidad acerca de la oración y le pidieron que les enseñara a orar (Mateo 6, 9–13).

Jesús los enseñó a decir:

**Padre nuestro,**
**que estás en el cielo,**
**santificado sea tu Nombre;**
**venga a nosotros tu reino;**
**hágase tu voluntad**
**en la tierra como en el cielo.**
**Danos hoy nuestro pan de cada día;**
**perdona nuestras ofensas,**
**como también nosotros perdonamos**
**a los que nos ofenden;**
**no nos dejes caer en la tentación,**
**y líbranos del mal.**

**Amén**.

Cada mañana, cuando te despiertes, empieza tu día rezando el Padre Nuestro. Cada noche, antes de dormir, acaba tu día rezando el Padre Nuestro.

# Dios te ha Bendecido

Eres el hijo o hija de un gran Rey. Jesús quiere que recordemos siempre que Dios es nuestro Padre y que somos hijos de Dios.

Ahora digamos todos juntos:

**Dios me ha bendecido. Soy el hijo/hija de un gran Rey. Él es mi Padre y mi Dios. El mundo puede alabarme o criticarme. No importa. Él está conmigo, siempre a mi lado, guiándome y protegiéndome. No tengo miedo porque le pertenezco.**

# El Buen Pastor

A Jesús le encantaba compartir su sabiduría con las personas contando historias. Una de las historias que contaba era sobre un pastor.

Este pastor tenía cien ovejas y las quería a todas y cada una de ellas y las cuidaba muy bien. Se aseguraba de que tuvieran mucha comida y mucha agua, y cuando los lobos salvajes venían él los alejaba de sus ovejas.

Un día, una de las ovejas se perdió. El contó sus ovejas, pero sólo eran noventa y nueve. El pastor estaba muy triste.

Así que él fue a buscar a la oveja perdida. Buscó en los ríos y en las montañas. Finalmente, oyó llorar a la oveja. Su pata se había enredado en en un alambre y no podía soltarse.

Con mucho cuidado, el pastor sacó la pata de la oveja del alambre, la levantó, la tomó en sus brazos y la llevó cargada hasta la casa. Estaba lleno de alegría porque había encontrado la oveja perdida, y se regocijó.

El pastor era un pastor muy bueno. Amaba a sus ovejas, y sus ovejas lo amaban a él.

Dios Padre es el pastor y nosotros somos sus ovejas. Él quiere cuidarnos. No quiere que nos perdamos; pero si nos perdemos Él nos busca para salvarnos y llevarnos a casa.

Jesus quiere conducirnos a la casa que Dios Padre ha preparado para nosotros en el cielo.

Adaptado de Juan 10,1–21

# Dios Siempre te Amará

Como la oveja de la historia, todos nos perdemos de vez en cuando. Cuando lo hacemos, es bueno ir a la Reconciliación y decir lo siento.

Algunas veces cuando hacemos algo malo, podemos pensar que ya no le agradaremos a algunas personas. Hasta podemos caer en la tentación de pensar que Dios ya no nos amará. Pero eso nunca es cierto.

Dios siempre te amará. Nada que tú hagas lo hará dejar de amarte. Todos cometemos errores, fallamos y tomamos malas decisiones de vez en cuando. Pero Dios nunca deja de amarnos. Necesitas recordar esto siempre.

Puedes pensar que has hecho algo horrible y que Dios nunca te perdonará. Pero ese es un pensamiento feo y equivocado. Dios no quiere que pienses así. Él siempre está dispuesto a perdonarnos cuando lo sentimos, y no hay nada que tu puedas hacer que haga que Él deje de amarte.

Dios te ama muchísimo. Él te ama tanto, que todos los días quiere ayudarte a convertirte en la-mejor-versión-de-ti-mismo.

# Muestra lo que sabes

## Verdadero o Falso

1. _____ El perdón es esencial para una relación saludable.

2. _____ Dios no nos perdona.

3. _____ Dios nos da la confesión para que podamos sentirnos mal acerca de nosotros mismos.

4. _____ Tu sacerdote es uno de tus entrenadores espirituales.

5. _____ Dios siempre está dispuesto a perdonarte.

## Llena los espacios en blanco

1. A Dios le encanta una relación _____ contigo y con otros.

2. Dios te invita a convertirte en la-mejor-versión-de-ti-mismo porque quiere que vivas una vida santa y que seas _____.

3. En las relaciones, dos de las lecciones más importantes de la vida son: cómo _____ y cómo ser _____.

4. En el _____ _____ rezamos, "perdona nuestras ofensas así como nosotros perdonamos a los que nos ofenden."

5. Porque todos pecamos, Dios nos bendice con el Sacramento de la _____ para que podamos vivir alegres y compartir su alegría con otras personas.

6. Un Sacramento es una _____ del amor de Dios por la humanidad.

7. Jesús quiere ayudarnos a llegar al _____.

8. La Reconciliación es una oportunidad para que nosotros le digamos a Dios _____ y le pidamos _____ por nuestros pecados.

9. Los grandes campeones _____ a sus entrenadores.

10. Dios es mi _____ y siempre me _____ pase lo que pase.

## Lista de Palabras

AMARÁ   PERDÓN   ESCUCHAR   LO SIENTO   PADRE   PERDONADO   RECONCILIACIÓN
FELIZ   CIELO   PERDONAR   SALUDABLE   PADRE NUESTRO   CELEBRACIÓN

# Diario con Jesús

Querido Jesús,

Yo sé que siempre me amarás porque . . .

_____

_____

_____

_____

_____

_____

_____

_____

# Dios Escoge Personas Comunes

Desde el comienzo de los tiempos, Dios ha estado usando a personas comunes para lograr cosas extraordinarias. El Rey David es justo un ejemplo. El venía de una familia grande y de niño trabajó en el campo como pastor.

Un día, David le llevó el almuerzo a sus siete hermanos que estaban en el campo de batalla defendiendo a Israel en contra de los filisteos. David llegó y oyó al gigante Goliat burlándose de los israelitas y de Dios. Goliat era el más grande guerrero de los filisteos y creía que era más poderoso que Dios. Todos le tenían miedo y se negaba a pelear con él.

Creyendo en el poder de la protección de Dios, David se ofreció a pelear con Goliat. Dios le dio mucho valor a David y lo ayudó a matar a Goliat. Nadie podía creer que el joven David podría derrotar al gran guerrero Goliat. Pero con Dios, cualquier cosa es posible.

Más tarde en su vida, después de la muerte del Rey Saúl, David se convirtió en Rey de Israel. Hasta Jesús, David fue el rey más grande en la historia de Israel. Pero David no era perfecto. Cuando David se puso a la disposición de Dios, grandes cosas pasaron. Cuando se cerró a Dios, su vida empezó a desplomarse. Con Dios, era feliz. Cuando se alejaba de Dios, era miserable.

Adaptado de 1 Samuel, 17 y 2 Samuel, 4.5

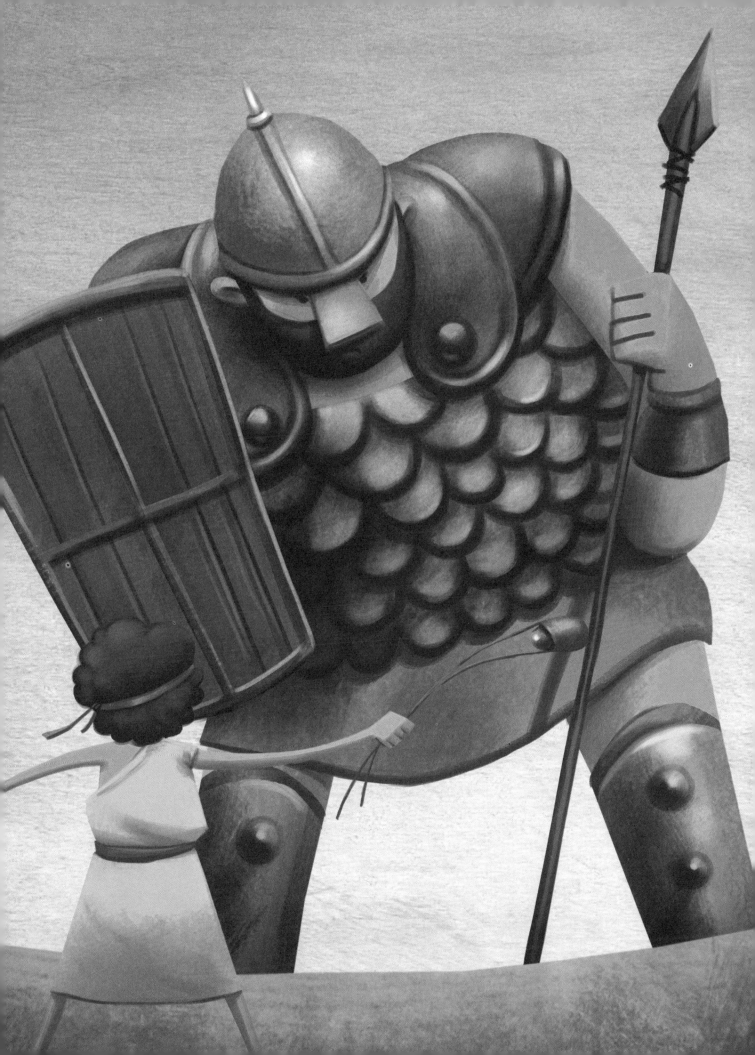

# Oración Final

El Rey David reconoció estos patrones de felicidad y miseria en su vida. Aprendió que cuando dejaba que Dios lo guiara, como cuando él de niño acostumbraba a guiar a las ovejas en las praderas, él era muy feliz. Con esta sabiduría el escribió una de las más famosas oraciones de todos los tiempos. Se llama el Salmo 23:

El Señor es mi pastor, nada me falta;
en verdes pastosme hace reposar.
Junto a tranquilas aguas me conduce;
y reconforta mi alma.
Me guía por sendas de justicia por amor a su nombre.
Aún si voy por valles tenebrosos, no temo peligro alguno
porque Tú estás a mi lado; Tu vara de pastor me reconforta.
Dispones ante mí un banquete en presencia de mis enemigos.
Has ungido con perfume mi cabeza, has llenado mi copa a rebosar.
La bondad y el amor me seguirán todos los días de mi vida;
y en la casa del Señor habitaré para siempre.

Amén.

# 5

# Tu Primera Reconciliación

Dios nuestro, Padre amoroso,
gracias por todas las formas en que me bendices.
Ayúdame a estar consciente de que cada persona,
cada lugar, y cada aventura que experimento
es una oportunidad para amarte más.
Lléname con el deseo de cambiar y crecer,
y dame la sabiduría para escoger ser
la-mejor-versión-de-mí-mismo en
cada momento de cada día.

Amén.

# Grandes Momentos de la Vida

La vida está llena de grandes momentos. Tu nacimiento, fue un gran momento. La Navidad, la Pascua de Resurrección, los días de fiesta, y los cumpleaños son grandes momentos.

La primera vez que metes un gol en fútbol es un gran momento. El día que te gradúas de la Universidad es un gran momento. Obtener tu primer trabajo es un gran momento. Descubrir tu vocación es un gran momento.

Los momentos comunes también pueden ser grandes — como una hermosa puesta de sol, una cena fabulosa con la familia o conocer a un nuevo amigo.

Tu Primera Reconciliación va a ser uno de los grandes momentos de tu vida.

# El Jardín de Tu Corazón

Imagina que estás en un hermoso jardín. Es primavera y la hierba está verde, el sol brilla, las flores están abriéndose con brillantes colores, mariposas están revoloteando, abejas zumban y pajarillos cantan alegremente.

Entonces, notas algunas hierbas malas desagradables y algunos arbustos de espinas que han crecido en el borde del jardín.

Ahora viene el jardinero. Riega todas las flores, canta con los pájaros, disfruta la luz del sol, y acaricia los conejitos que pasan saltando. Al caminar por el jardín, nota lo que tú notaste: las desagradables hierbas malas y los crecidos arbustos de espinas. Él no se enoja; sólo sonríe amorosamente y se pone a trabajar. Cuidadosamente arranca la mala hierba y quita los arbustos con espinas. Después trilla el terreno y planta algunas semillas para que esta área pueda ser tan hermosa como el resto del jardín.

El jardín en esta historia es tu corazón. Las bellas flores en el jardín son el amor que llevas en tu corazón por Dios, tu familia y tus amigos.

Cada vez que tomas una buena decisión, el jardín se vuelve aún más hermoso. Cada vez que ayudas a un amigo, una flor florece. Cada vez que escoges escuchar a tus padres, la hierba se vuelve un poquito más verde. Pero cada vez que empujas a alguien en el patio de recreo o te adelantas a alguien en la fuente de agua, una mala hierba crece en tu jardín. Y cada vez que dices una mentira o pronuncias una mala palabra, un arbusto de espinas empieza a crecer.

Jesús es el jardinero. Él quiere vivir en tu corazón. A Él le encanta caminar en tu jardín, disfrutando la belleza de tu corazón. También quiere quitar todas las malas hiervas y los arbustos de espinas de tu jardín. Las malas hierbas son los pecados pequeños; los arbustos de espinas son tus pecados grandes. Si no te deshaces de la mala hierba y los arbustos de espinas justo cuando ellos empiezan a crecer, pueden esparcirse muy pronto y ocupar todo el jardín.

En el Sacramento de la Reconciliación invitamos a Jesús, el jardinero, a venir al jardín de nuestro corazón y quitar la mala hierba y los arbustos de espinas.

# La Preparación Importa

Nos preparamos para todo lo importante.

No esperarías ganar un gran torneo de fútbol si no has estado practicando. No puedes esperar buenas notas si no estudias para tus exámenes. No irías a un viaje sin empacar y planear. La preparación es esencial para una gran experiencia.

Tú tienes la bendición de ser católico. Como católicos, nos preparamos para cada uno de los momentos católicos. Nos

preparamos para la Navidad con el tiempo de Adviento. Nos preparamos para la Pascua de Resurrección con el tiempo de Cuaresma. Nos preparamos para la Misa con oración y ayuno.

Tú te has estado preparando para tu Primera Reconciliación. A medida que ese día maravilloso se acerca, hay que hacer unas últimas preparaciones.

# Los Cinco Pasos

Tú te estas preparando para tu Primera Reconciliación. Esta será tu primera vez, pero no la última. Dios te ha bendecido.

La segunda vez que vayas a la Reconciliación sabrás qué hacer porque ya lo habrás hecho antes. Pero como ésta es tu primera vez, tiene sentido hacer un ensayo de lo que pasará exactamente.

Vamos a echar una ojeada al Sacramento de la Reconciliación paso a paso, para que sepas de que se trata. Después hablaremos de cada paso detalladamente para que sepas qué esperar.

Primero, es natural estar un poco nervioso. La primera vez que hacemos la mayoría de las cosas, nos sentimos nerviosos. Es como subirse a la montaña rusa: La primera vez estás realmente nervioso, pero mientras más la montas, menos nervioso te pones.

Hay cinco pasos para hacer una buena Reconciliación. Aquí tienes una revisión general.

## Paso 1: Examen de Conciencia

Esto es un ejercicio espiritual designado a ayudarnos a recordar cuándo fuimos o no la-mejor-versión-de-nosotrosmismos. Examinando nuestra conciencia nos volvemos conscientes de nuestros pecados.

## Paso 2: Confesión

Aquí le decimos lo siento a Dios confesándole nuestros pecados por medio del sacerdote quien es un representante de Dios.

## Paso 3: Penitencia

El sacerdote te pedirá que pases un tiempo rezando o que hagas una buena obra por alguien. Esto se llama penitencia, la cual es una manera de mostrarle a Dios que sientes sinceramente haber pecado.

## Paso 4: Contrición

El Acto de Contrición es una breve oración que rezamos prometiendo no volver a pecar.

## Paso 5: Absolución

El sacerdote extenderá las manos sobre tu cabeza y rezará un oración muy especial y poderosa. Actuando como representante de Dios, ¡te perdonará tus pecados!

# Paso 1: Examinamos Nuestra Conciencia

Para ayudarte a convertirte en la-mejor-versión-de-ti-mismo, y a vivir una vida santa, Dios te ha bendecido con una conciencia, la suave voz dentro de ti que te anima a hacer el bien y evitar el mal. Dios nos habla a través de nuestra conciencia.

Seguir nuestra conciencia nos hace felices. Ignorarla nos hace irritables, intranquilos, e infelices. Dios no quiere que estemos intranquilos ni que seamos infelices de modo que nos da el regalo

de la Reconciliación. Cuando desobedecemos nuestra conciencia y pecamos haciendo cosas que sabemos que no debemos hacer, Dios nos invita a ir a la Reconciliación para poder llenarnos con su alegría otra vez.

Antes de ir a la Reconciliación examinamos nuestra conciencia para saber de qué hablarle al sacerdote. Examinar quiere decir mirar algo muy cuidadosamente.

Imagina que tienes un diamante hermoso y grande y lo llevabas a dondequiera que vas. Probablemente de vez en cuando lo sacas y lo miras. Si esta muy empolvado o sucio, lo limpias. Y si tiene un rayón, lo pules.

Tu alma es ese hermoso diamante. Vamos a la Reconciliación para que Dios pueda desempolvarlo, limpiarlo, y pulirlo para que brille como nuevo otra vez.

Antes de ir a la Reconciliación ayuda pensar y recordar momentos en que escogiste pecar, ir por un mal camino, tomar una mala decisión, no cumplir con alguno de los Mandamientos de Dios, no escuchar a tu conciencia, o simplemente no ser la-mejor-versión-de-ti-mismo.

Estas preguntas pueden ayudarte a examinar tu conciencia:

**¿He sido un buen amigo/a?**

**¿Obedezco a mis padres?**

**¿He tomado cosas que pertenecen a otras personas?**

**¿Hago trampa en la escuela o en deportes?**

**¿He dicho mentiras?**

**¿Tomo tiempo para rezar todos los días?**

**¿He usado el Nombre de Dios de maneras que no son apropiadas?**

**¿Voy a la Iglesia todos los domingos?**

**¿Estoy agradecido por los muchos regalos con los que Dios me ha bendecido?**

Las respuestas a estas preguntas te ayudarán a prepararte para el Sacramento de la Reconciliación. Si te tomas el tiempo para reflexionar estas preguntas, estarás preparado para hablarle al sacerdote cuando entres en la sala de la Reconciliación.

Nos es difícil recordar todas las veces que hemos pecado; es por eso que un examen de conciencia es útil. Sentarte en un lugar tranquilo y callado para pensar en estas preguntas te ayudará a recordar momentos en que no has sido la-mejor-versión-de-ti-mismo.

# Paso 2: Confesamos Nuestros Pecados

A Daniel realmente le encantan las galletas. Una tarde, llegó de la escuela y su mamá estaba horneando sus galletas favoritas de chipas de chocolate. ¡El delicioso aroma se sentía en toda la casa! Al entrar en la cocina, su mamá le dijo. "Daniel, sé que éstas son tus favoritas, pero estoy horneándolas para el picnic de la Iglesia, así que sólo puedes tomar una". Cuando su mamá se dio la vuelta, Daniel tomó dos rápidamente y corrió para su cuarto.

Él se comió las galletas. Estas sabían muy rico en su estómago, pero le dejaron un mal sabor en su interior. Sabía que había hecho algo malo. Aunque no lo habían descubierto, él se sentía terrible.

Daniel estaba avergonzado, pero su conciencia lo motivo a que le dijera a su mamá lo que había hecho y que lo sentía mucho. Su mamá le dio un gran abrazo y dijo, "Estoy decepcionada de ti por haber hecho algo que sabías que estaba mal. Y como castigo, esta noche no puedes ver tu programa de televisión favorito. Pero también quiero que sepas que estoy muy orgullosa de ti por pedir disculpas y admitir que hiciste algo malo. Eso tomó mucho valor".

Cuando los niños de la clase de Daniel estaban preparándose para su Primera Reconciliación, se hicieron muchas preguntas durante el examen de conciencia. El recordó cuando tomó una galleta de más. Él sabía que estaba bien haberle pedido disculpas a su mamá, pero también necesitaba decirle a Dios que sentía haber robado. Se dio cuenta de que esto era algo que podía confesar durante la Reconciliación.

Cuando entres en el cuarto de la Reconciliación o confesionario, te sentarás en una silla frente al sacerdote. Después de hacer la señal de la cruz, es hora de confesar tus pecados. Le hablas al sacerdote de tus pecados. ¿Recuerdas a Daniel de nuestra historia? Aquí es cuando él le hablaría al sacerdote del momento en que se robó la galleta. Si te trabas o te pones nervioso, recuerda que el sacerdote está allí para ayudarte.

Hablando con el sacerdote sobre los momentos en que tomamos malas decisiones y sobre los momentos en que no fuimos la-mejor-versión-de-nosotros-mismos, volvemos a descubrir a la persona que Dios nos creó para ser.

El sacerdote puede hacer alguna sugerencia acerca de cómo puedes crecer y convertirte en una mejor persona. Recuerda, aunque estés sentado con el sacerdote, él está allí para representar a Dios; así que, en realidad, estás hablándole a Dios.

También es posible recibir el Sacramento detrás de una rejilla. El sacerdote se sienta del otro lado de la rejilla y te escucha mientras tú te arrodillas y le confiesas tus pecados.

Los grandes campeones escuchan a sus entrenadores para poder mejorar. La Reconciliación es un tipo de entrenamiento espiritual. Confesarle nuestros pecados a Dios es una manera hermosa de crecer espiritualmente.

# Paso 3: Hacemos Nuestra Penitencia

Si comieras dos docenas de rosquillas todos los días durante unos meses, te enfermarías. Mientras te las comes, probablemente sabrías que no son buenas para ti, pero lo sigues haciendo de todas maneras.

Entonces, un día te despiertas y te das cuenta que comer todas esas rosquillas te estaba haciendo daño. Es bueno reconocerlo, pero es igualmente importante cambiar nuestra manera de vivir.

Si te comiste todas esas rosquillas y tu cuerpo se enfermó, necesitaras hacer ejercicio y comer muchas frutas y vegetales para que tu cuerpo recupere la salud.

El pecado enferma nuestra alma al igual que la mala comida enferma nuestro cuerpo. Cuando vamos a la Reconciliación pedimos disculpas por ofender a Dios y enfermar nuestra alma, pero también prometemos tratar de vivir de una manera diferente en el futuro.

Antes de que recemos nuestro Acto de Contrición, el sacerdote nos dará una penitencia. La penitencia es una oración o una buena obra para mostrarle a Dios que lo sentimos mucho. Es como un ejercicio que ayuda al alma a estar saludable otra vez.

# Paso 4: Le Decimos Lo Siento a Dios

Raquel estaba enojada con su hermana. Cada vez que se sienta para hacer su tarea, su hermana la molesta, y hoy Raquel se enojó y la empujó para alejarla. Su hermana se cayó y empezó a llorar. Ella sólo quería que Raquel jugara con ella. Raquel se sintió mal acerca de su decisión y le pidió disculpas a su hermana. Para mostrarle a su hermana que realmente lo sentía, Raquel dijo que cuando terminara su tarea jugaría con ella a lo que ella quisiera.

Después de confesar tus pecados en el Sacramento de la Reconciliación, rezarás una oración de contrición. ¿Qué es contrición? Contrición quiere decir que sientes mucho haber hecho algo malo. Cuando rezas la oración de contrición, estás diciéndole a Dios que estás verdaderamente avergonzado por los pecados que has cometido.

Aquí tienes dos ejemplos de Acto de Contrición:

Querido Dios, estoy apenado por todos mis pecados. Estoy apenado por las cosas malas que he hecho. Estoy apenado por las cosas buenas que no he hecho. Con Tu ayuda voy a ser mejor. Amén.

Dios mío, con todo mi corazón me arrepiento de todo el mal que he hecho y de todo lo bueno que he dejado de hacer. Al pecar, te he ofendido a Ti, que eres el supremo bien y digno de ser amado sobre todas las cosas. Propongo firmemente, con la ayuda de tu gracia, hacer penitencia, no volver a pecar, y huir de las ocasiones de pecado. Señor, por los méritos de la Pasión de nuestro Salvador Jesucristo, apiádate de mí.

Amén.

## Paso 5:
## El Sacerdote Nos Da la Absolución

Después de la Ultima Cena, Jesús sabía que iba a sufrir y a morir, y también sabía por qué. Iba a hacerlo por ti y por mí, para que pudiéramos estar libres de nuestros pecados.

El pecado nos hace sentirnos infelices y apesadumbrados. Jesús no quería que nos sintiéramos así. Él quería que estuviéramos libres de pecado. Él quería que pudiéramos ir a la Reconciliación y que se nos perdonaran nuestros pecados.

Después que reces el Acto de Contrición, el sacerdote extenderá sus manos sobre tu cabeza para rezar la oración de absolución:

Dios, Padre misericordioso, que reconcilió consigo al mundo por la muerte y la resurrección de su Hijo y derramó el Espíritu Santo para el perdón de los pecados, te conceda, por el ministerio de la Iglesia, el perdón y la paz. Y yo te absuelvo de tus pecados en el nombre del Padre y del Hijo y del Espíritu Santo.

Tú responderás: **Amén**.

En el momento de la absolución, cuando el sacerdote extiende las manos sobre ti, Jesús está derramando su gracia sobre ti. Esto es como un balde de amor derramándose sobre tu cabeza y llenando tu corazón de paz y alegría. La gracia de Dios también te capacita para tomar mejores decisiones.

Después que el sacerdote te ha absuelto de tus pecados, te enviará a caminar con Dios más de cerca, a tomar mejores decisiones, y a convertirte en la-mejor-versión-de-ti-mismo.

# De la Biblia: El Hijo Pródigo

Había una vez un hombre que tenía dos hijos. Un día, el hijo menor se acercó a su padre y le dijo, "Padre, dame parte del dinero que me pertenecerá". El padre accedió y unos días más tarde su hijo menor se fue y viajó a una tierra distante, donde derrochó todo el dinero en cosas frívolas.

Pronto, se le acabó el dinero y tenía hambre, así que se puso a trabajar dándole de comer a los cerdos. El tenía tanta hambre, que quería comerse la comida de los cerdos.

Un día, cuando estaba alimentándolos pensó, "Los sirvientes de mi padre tienen comida abundante y yo estoy hambriento. Regresaré a la casa, le suplicaré a mi padre que me perdone y le pediré que me acepte de nuevo, no como su hijo, sino como uno de sus sirvientes".

Al día siguiente emprendió el camino y regresó a su padre. Cuando todavía estaba lejos de la casa, su padre lo vio en el horizonte. El padre se llenó de alegría y corrió a recibir a su hijo, abrazándolo y besándolo.

El hijo le dijo a su padre, "Padre, he pecado contra el cielo y contra ti. Ya no merezco ser llamado hijo tuyo. Trátame como a uno de tus sirvientes". Pero el padre les dijo a sus sirvientes, "¡Rápido! Traigan el mejor vestido y pónganselo; colóquenle un anillo en el dedo y traigan calzado para sus pies. Traigan el ternero más gordo y mátenlo; comamos y hagamos fiesta, porque este hijo mío estaba muerto y ha vuelto a la vida; estaba perdido y lo hemos encontrado".

Adaptado de Lucas 15,11–32

A Jesús le encantaba enseñar con parábolas porque cada persona en la historia nos enseña una lección. En esta parábola, el padre es Dios Padre. Él siempre se regocija cuando volvemos a Él. No está enojado con su hijo; está encantado con el regreso del muchacho al hogar.

Puede haber momentos en tu vida en que te sientes lejos de Dios; pero nunca pienses que Dios no quiere que vuelvas al hogar. Nunca pienses que tus pecados son más grandes que el amor de Dios.

El hijo en esta historia es llamado el Hijo Pródigo. Pródigo significa "descuidado y tonto". A veces todos somos descuidados y tontos. Cuando pecamos estamos siendo descuidados y tontos. Pero cuando vamos a la Reconciliación somos como el hijo regresando al hogar, a su padre, y su padre se regocija.

# Primera, Pero No Última

La Reconciliación es una gran bendición. Dios te ha bendecido.

Esta es tu Primera Reconciliación, pero no la última. Es una buena idea que te sientas cómodo con el proceso. Es natural y normal estar nervioso, especialmente la primera vez; pero si lo haces con regularidad te sentirás más cómodo.

La Reconciliación regular es una de las mejores maneras en que Dios comparte su gracia con nosotros. Muchos de los santos se confesaban todos los meses, y algunos de ellos con más frecuencia.

Asistir a la Reconciliación regularmente nos recuerda cuán importante es enfocarnos en crecer espiritualmente, y no sólo físicamente.

Convertirte en la-mejor-versión-de-ti-mismo, crecer en virtud, y vivir una vida santa requiere trabajo y es un proceso de toda la vida. La oración diaria, la misa dominical y una reconciliación frecuente nos animan y guían en este caminar.

# Tu Mejor Amigo

La amistad es hermosa, pero también frágil. Algunas veces un amigo puede hacer algo que nos molesta. Esto debilita nuestra amistad con él o ella. Pero cuando dice lo siento, nuestra amistad se repara y hasta se fortalece.

Dios es el mejor amigo que siempre tendrás. A veces hacemos cosas que lo ofenden y esto debilita nuestra amistad con Él. Entonces vamos al Sacramento de la Reconciliación para decirle a Dios lo siento.

Puede haber momentos en que te alejes de Dios, pero Él nunca deja de llamarte. Nunca dejará de buscarte. Nunca dejará de animarte a que te conviertas en la-mejor-versión-de-ti-mismo, crezcas en virtud, y vivas una vida santa.

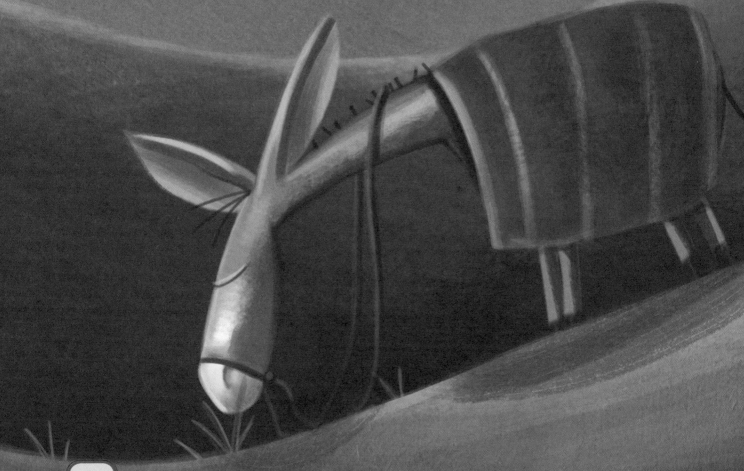

# Muestra lo que Sabes

## Verdadero o Falso

1. _____ Los momentos comunes nunca pueden ser grandes.

2. _____ Tu Primera Reconciliación es uno de los grandes momentos de tu vida.

3. _____ Nunca es bueno prepararte para los momentos importantes de tu vida.

4. _____ Dios quiere que estemos intranquilos y seamos infelices.

5. _____ El amor de Dios es más grade que cualquier pecado que hayas cometido alguna vez.

## Llena los espacios en Blanco

1. Dios es el mejor _____ que tendrás en tu vida.

2. Seguir tu conciencia te hace _____ ignorarla te hace _____.

3. Tú le _____ tus pecados al sacerdote.

4. La penitencia es como un _____ para ayudar al alma a ser saludable otra vez.

5. Nuestro Salvador, _____ sufrió y murió por nosotros.

6. La _____ es esencial para una gran experiencia.

7. Confesarle tus pecados a _____ por medio de un sacerdote es una manera hermosa de crecer espiritualmente.

8. La _____ de Dios te capacita para tomar mejores decisiones en la vida.

9. Dios te bendice con una _____ para ayudarte a convertirte en la-mejor-versión-de-ti-mismo y vivir una vvida santa.

10. Dios nunca dejará de _____ para que te conviertas en la-mejor-versión-de-ti-mismo, crezcas en virtud, y vivas una vida santa.

**Lista de palabras**

ALENTARTE    CONFIESAS    FELIZ    PREPARACIÓN    INFELIZ

GRACIA    CONCIENCIA    EJERCICIO    JESÚS    DIOS    AMIGO

# Diario con Jesús

Querido Jesús,

Cuando pienso en ti en la cruz siento que Dios me ha bendecido porque . . .

_____

_____

_____

_____

_____

_____

_____

_____

# Oración Final

Una de las razones por las que Dios nos invita a la Reconciliación es para que podamos seguir aumentando nuestra virtud y nuestra felicidad, para que así podamos ayudarlo a construir su Reino. El Reino de Dios es un reino de paz, amor, y alegría. Él quiere que compartamos esta paz, este amor, y esta alegría con todas las personas que encontremos.

Pero algunas veces, en lugar de ayudar a Dios humildemente a construir su Reino, nos volvemos egoístas, nos llenamos de orgullo y en cambio decidimos construir nuestro propio reino. ¿Puedes pensar en alguien en la historia que se enfocó en tratar de construir su propio reino en lugar de ayudar a Dios a construir su Reino de paz, amor y alegría?

Para alabar a Dios y recordar que nuestra misión es ayudar a Dios a construir su Reino y no empeñarnos en construir nuestro reino propio egoísta, rezamos una oración llamada el Gloria. Es una oración breve, pero muy poderosa.

Pongámonos de pie, tomémonos de la mano y recémosla juntos:

> **Gloria al Padre,**
> **y al Hijo,**
> **y al Espíritu Santo.**
> **Como era en el principio,**
> **ahora y siempre,**
> **por los siglos de los siglos.**
>
> **Amén.**

# 6

# Es Sólo
# el Comienzo

Dios nuestro, Padre amoroso,
gracias por todas las formas en que me bendices.
Ayúdame a estar consciente de que cada persona,
cada lugar, y cada aventura que experimento
es una oportunidad para amarte más.
Lléname con el deseo de cambiar y crecer,
y dame la sabiduría para escoger ser
la-mejor-versión-de-mí-mismo en
cada momento de cada día.

Amén.

# Lo Mejor está por Venir

Somos tan bendecidos de tener a Dios como nuestro Padre. Somos tan bendecidos teniendo a Jesús como nuestro amigo y Salvador. Somos tan bendecidos teniendo al Espíritu Santo para dirigirnos y guiarnos.

Recuerda, Dios quiere que te conviertas en la-mejor-versión-de-ti-mismo, que crezcas en virtud, y vivas una vida santa.

Él nos da su gracia por medio de grandes momentos como el Bautismo, la Primera Reconciliación, la Primera Comunión, y la Confirmación. Y cuando vamos a Misa el domingo y pasamos unos minutos rezando cada día, también nos da la gracia que necesitamos para prosperar todos los días.

# La Voluntad de Dios y la Felicidad

La oración también nos ayuda a descubrir la voluntad de Dios para nuestra vida. Es haciendo su voluntad que nos convertimos en la-mejor-versión-de-nosotros-mismos y vivimos una vida santa. A medida que crecemos en sabiduría también descubrimos que somos más felices cuando tratamos de hacer la voluntad de Dios, porque nos lleva a la felicidad eterna con Dios en el Cielo.

¿Es difícil conocer la voluntad de Dios? Algunas veces lo es; pero la mayoría de las veces sabemos qué es lo que Dios quiere que hagamos.

Dios quiere que tomemos buenas decisiones
y que evitemos las malas decisiones.

Dios quiere que hagamos cosas buenas
y evitemos las cosas malas.

Dios quiere que seamos buenos hijos e hijas,
y Dios quiere que seamos buenos amigos.

En su mayoría tú ya sabes cuál es la voluntad de Dios; pero todos
los días Él nos habla a todos de distintas maneras para ayudarnos a
conocer su voluntad con mayor claridad.

# El Proceso de la Oración

A Dios le gusta que hablemos con El. A Él le gusta cuando le hablamos en nuestro corazón y durante el día. También le gusta cuando nos tomamos unos minutos cada día solamente para hablar con Él.

A esta conversación con Dios la llamamos oración. Algunas veces, cuando nos sentamos para rezar, no sabemos qué decirle. El Proceso de la Oración es una simple manera de asegurarnos de que siempre tenemos algo que decirle a Dios. Se compone de siete pasos fáciles. Cada paso está designado para guiar tu conversación diaria con Dios.

1. Dale gracias a Dios por las personas y cosas por las que estás más agradecido.

2. Piensa en el día de ayer. Háblale a Dios de las veces que fuiste y no fuiste la-mejor-versión-de-ti-mismo/a.

3. ¿Qué crees que Dios está tratando de decirte hoy? Háblale sobre eso.

4. Pídele a Dios que te perdone por cualquier cosa que hayas hecho mal y que llene tu corazón de paz.

5. Háblale a Dios sobre algo que Él está invitándote a cambiar y crecer.

6. Reza por otras personas en tu vida, pidiéndole a Dios que las guíe y las proteja.

7. Reza el Padre Nuestro.

Esta es una simple manera de tener una conversación con Dios cada día durante tus momentos de tranquilidad. Por medio de la oración, Dios nos ayuda a convertirnos en la-mejor-versión-de-nosotros-mismos, a aumentar nuestras virtudes y a vivir una vida santa.

# El Poder de los Grandes Hábitos

Los hábitos juegan un papel importante en nuestra vida. Hay buenos hábitos y malos hábitos. Los buenos hábitos nos ayudan a convertirnos en la-mejor-versión-de-nosotros-mismos. Los malos hábitos nos impiden desarrollar todo el potencial que Dios nos dio al crearnos.

Tus padres, tus maestros, y tus entrenadores, están trabajando muy duro para ayudarte a desarrollar buenos hábitos. Aquí tienes algunos ejemplos de buenos hábitos:

- Tomar mucha agua

- Comer frutas y verduras

- Leer todos los días

- Pasar tiempo con amigos

- Darle ánimo a las personas que te rodean

- Ir a la Iglesia los domingos

- Rezar por unos minutos todos los días

Aquí tienes algunos ejemplos de malos hábitos:

- Mirar demasiada televisión

- Comer demasiadas golosinas o chucherías

- No cuidar tus cosas

- Intimidar a otros niños

- No ir a Misa los domingos

# La Oración Diaria

Los campeones de cualquier deporte, se convierten en grandes campeones teniendo buenos hábitos. Practican duro y comen comidas saludables. Los campeones de nuestra fe se convirtieron en santos teniendo buenos hábitos. Practicaron ser pacientes, bondadosos, generosos y compasivos — y rezaban todos los días.

El hábito de la oración diaria te ayudará a descubrir la voz de Dios en tu vida y te dará el valor para hacer lo que Dios esté invitándote a hacer.

El Proceso de la Oración es un gran hábito que te ayudará a convertirte en la-mejor-versión-de-ti-mismo y a vivir una vida santa.

Haciendo la voluntad de Dios encontramos una felicidad increíble. Pasando cada día unos minutos de oración en silencio y asistiendo a Misa todos los domingos, tu descubrirás la voluntad de Dios para tu vida.

Dios te ha bendecido. Mientras más abraces el hábito de la oración diaria, más bendecido/a te volverás.

# De la Biblia:
# Jesús Fue a un Lugar Tranquilo

Un día, Jesús estaba comiendo en casa de un amigo. Cuando la gente del pueblo oyó que Jesús estaba allí, le llevaron a sus amigos y familiares enfermos para que los curara. Curó a los enfermos y la gente estaba asombrada. A la mañana siguiente, muy temprano, Jesús salió solo y buscó un lugar tranquilo para poder orar.

Esta es una de las muchas veces que leemos en la Biblia sobre Jesús yendo a un lugar tranquilo para orar. Cada día, todos necesitamos unos minutos en un lugar tranquilo para sentarnos y hablar con Dios.

Uno de los mejores hábitos que puedes desarrollar en la vida es el hábito de la oración diaria.

A veces, cuando te sientas para pasar un momento tranquilo con Dios en oración, no sabes qué decir. Así que para ayudarte con eso te hemos enseñado el Proceso de la Oración para que guíe tu conversación diaria con Dios.

Si Jesús necesitaba un momento tranquilo, ¿no crees que nosotros también lo necesitamos?

# Muestra Gratitud

La mejor manera de empezar cada día es siendo agradecido/a. Darle gracias a Dios por otro día es una manera simple de hablarle al levantarnos cada mañana.

Ser agradecido es también la mejor manera de empezar nuestra oración diaria — es por eso que el primer paso del Proceso de Oración se trata de la GRATITUD.

Al hacer tiempo para reflexionar sobre todas las formas en que Dios nos bendecido nos llenamos de gratitud y Dios nos llena de alegría. Así que cuando estés triste o sintiéndote un poquito desanimado, háblale a Dios sobre cualquier persona o cualquier cosa por la que estás agradecido.

Puede que ayude hacer una lista de agradecimientos. Algunas personas la hacen y la llevan consigo en el bolsillo, en la billetera, o en la cartera a todas partes. Así, si pasa algo malo o si se sienten un poco tristes, sacan su lista de agradecimientos y rezan con ella.

Ahora mismo hagamos juntos nuestra propia lista de agradecimientos.

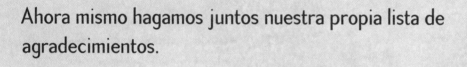

Yo estoy agradecido/a por . . .

_____

_____

_____

_____

_____

_____

_____

_____

# Dios te Llena de Alegría

A lo largo de tu vida te pasarán muchas cosas maravillosas. También habrá días en los que pasarán cosas que te entristezcan un poquito. Ya sea que estés teniendo un gran día o un día no muy bueno, siempre es una buena idea pasar unos minutos hablando con Dios sobre aquello por lo que estás agradecido. Alabamos a Dios siendo agradecidos, y El responde llenándonos de alegría.

# ¡Felicidades!

Felicidades por hacer tu Primera Reconciliación. Este es un momento maravilloso de tu vida. Dios te ha bendecido.

El próximo gran Momento Católico en tu camino será tu Primera Comunión.

Esperamos que las lecciones que has aprendido preparándote para tu Primera Reconciliación vivirán para siempre en tu corazón. Esperamos que te ayudarán a convertirte en la-mejor-versión-de-ti-mismo, a crecer en virtud, y a vivir una vida santa. Esperamos que nunca olvides que ¡DIOS TE HA BENDECIDO!

# Muestra lo que Sabes

## Verdadero o Falso

1. _____ Eres bendecido/a por tener a Dios como tu Padre.

2. _____ La oración te ayuda a descubrir la voluntad de Dios para tu vida.

3. _____ Jesús siempre fue a un lugar ruidoso para hablar con Dios.

4. _____ Cada vez que vas a Misa, Dios quiere decirte algo.

5. _____ La gratitud nos llena de alegría.

## Fill in the blank

1. Hacer la voluntad de Dios nos lleva a la _____ en esta vida y a la _____ por toda la eternidad con Dios en el Cielo.

2. Dios quiere _____ de mil maneras distintas para que puedas vivir una vida fabulosa.

3. Haciendo la voluntad de Dios es que te conviertes en la _____.

4. Mientras más abraces el hábito de la _____ diaria, más bendecido te volverás.

5. Cuando crezcas en _____ descubrirás que eres más feliz cuando tratas de hacer la voluntad de Dios.

6. Dios quiere que hagamos cosas _____ y evitemos decisiones _____.

7. Jesús es tú _____ y tú _____.

8. Una gran manera de tener una conversación diaria con Dios es usando el _____.

9. Los campeones de nuestra fe católica se convirtieron en santos teniendo grandes _____.

10. La mejor manera de empezar cada día es siendo _____.

## Lista de Palabras

| | | | | | | | |
|---|---|---|---|---|---|---|---|
| BENDECIRTE | BUENAS | MALAS | FELICIDAD | HÁBITOS | SABIDURÍA | SALVADOR | ORACIÓN |
| AMIGO | MEJOR–VERSIÓN–DE–TI–MISMO | | PROCESO DE LA ORACIÓN | | FELICIDAD | AGRADECIDO | |

# Diario con Jesús

Querido Jesús,

Soy muy bendecido/a al tener mi Primera Reconciliación porque . . .

_____

_____

_____

_____

_____

_____

_____

# Oración Final

San Francisco de Asís vivió en Italia hace unos 800 años. Él amó mucho a Dios y dedicó su vida a enseñarle a la gente sobre Jesús. San Francisco escribió esta hermosa oración para ayudarnos a poner las cosas en perspectiva. Es tan fácil confundirse acerca de qué es lo más importante. La oración nos ayuda a ordenar nuestras prioridades. Recemos juntos la oración de San Francisco:

Señor, hazme un instrumento de tu paz:
donde haya odio, que lleve yo amor;
donde haya ofensa, perdón;
donde haya duda, fe;
donde haya desaliento, esperanza;
donde haya tinieblas, luz;
donde haya tristeza, alegría,

¡Oh, Maestro!, que no busque yo tanto
ser consolado como consolar;
ser comprendido, como comprender;
ser amado, como amar.
Porque dando es como se recibe;
olvidando, como se encuentra;
perdonando, como se es perdonado;
muriendo, como se resucita a la vida eterna.

Amén.

# Mi Pequeño Catecismo

Tu fabuloso camino con Dios sólo está empezando. A lo largo del camino tendrás muchas preguntas. Las preguntas son buenas, Dios las pone en tu corazón y en tu mente por muchas razones diferentes. Sigue tus preguntas dondequiera que te lleven.

Será fácil encontrar respuestas para algunas de tus preguntas. Para ayudarnos a responder muchas de nuestras preguntas, nuestros líderes espirituales nos han dado el Catecismo de la Iglesia Católica. Las respuestas que encontramos ahí han sido reveladas por Dios y por la naturaleza a través de los siglos.

En las siguientes páginas, compartiremos contigo algunas preguntas que puedes tener sobre Dios y la vida. Las respuestas son fáciles de leer; pero, con frecuencia, son difíciles de vivir. Sin embargo, te ayudarán a convertirte en la-mejor-versión-de-ti-mismo, a crecer en virtud, y a vivir una vida santa.

En tu vida, habrá momentos en los que tendrás preguntas que no pueden ser respondidas con palabras en una página. Por ejemplo, a qué vocación estás llamado, o qué carrera debes ejercer. En esos momentos buscarás respuestas profundamente personales para preguntas profundamente personales.

Esas preguntas requieren mucha más paciencia. Busca el consejo de personas sabias que aman al Señor. Lee lo que hombres y mujeres sabios han tenido que decir sobre tales temas; pero, sobre todo, reza y pídele a Dios que te muestre su camino.

A medida que avanzas en este caminar, encontrarás a otras personas que también tienen preguntas. Ayúdalas lo mejor que puedas a encontrar respuestas. Todas las personas merecen respuestas para sus preguntas.

Y nunca, jamás, olvides que . . . ¡Dios te ha bendecido!

1.  **P: ¿Quién te hizo?**

    R: Dios te hizo.

    En la Biblia: Génesis 1,1, 26–27; Génesis 2,7, 21–22
    En el Catecismo: CEC 355

2.  **P: ¿Te ama Dios?**

    R: Sí. Dios te ama más que nadie en el mundo
    y más de lo que tú te podrías imaginar jamás.

    En la Biblia: Juan 3,16
    En el Catecismo: CEC 457, 458

3.  **P: ¿Para qué te hizo Dios?**

    R: Dios te hizo para conocerlo, amarlo y llevar a cabo la misión que nos ha
    confiado en este mundo, y para ser feliz con Él para siempre en el Cielo.

    En la Biblia: Deuteronomio 10, 12–15; Juan 17,3
    En el Catecismo: CEC 1, 358

4.  **P: ¿Qué es Dios?**

    R: Dios es un espíritu infinito y perfecto.

    En la Biblia: Éxodo 3,6; Isaías 44,6; 1 Juan 4,8 16
    En el Catecismo: CEC 198–200, 212, 221

5.  **P: ¿Tuvo Dios un comienzo?**

    R: No. Dios no tuvo un comienzo. Él siempre fue y Él siempre será.

    En la Biblia: Salmo 90,2; Apocalipsis 1,8
    En el Catecismo: CEC 202

6.  **P: ¿Dónde está Dios?**

    R: En todas partes.

    En la Biblia: Salmo 139
    En el Catecismo: CEC 1

7.  **P: ¿Nos ve Dios?**

    R: Dios nos ve y nos protege.

    En la Biblia: Sabiduría 11,24–26; Jeremías 1,5
    En el Catecismo: CEC 37, 301, 302

8. **P:** ¿Lo sabe todo Dios?

**R:** Sí. Dios lo sabe todo, hasta nuestros pensamientos más secretos, nuestras palabras y acciones.

En la Biblia: Job 21,22; Salmo 33,13–15; Salmo 147,4–5
En el Catecismo: CEC 208

9. **P:** ¿Es Dios amoroso, justo, santo, y misericordioso?

**R:** Sí, Dios es amoroso, todo justo, todo santo, y todo misericordioso — y nos invita a que también seamos amorosos, justos, santos, y misericordiosos.

En la Biblia: Juan 13,34; 1 Juan 4,8; Efesios 2,4
En el Catecismo: CEC 214, 211, 208

10. **P:** ¿Hay un solo Dios?

**R:** Yes, there is only one God.

En la Biblia: Juan 8,58; Isaías 44,6
En el Catecismo: CEC 253

11. **P:** ¿Por qué hay solamente un Dios?

**R:** Sólo puede haber un Dios, porque Dios es supremo e infinito, no puede tener un igual.

En la Biblia: Éxodo 3,14; Juan 8,58
En el Catecismo: CEC 253

12. **P:** ¿Cuántas Personas hay en Dios?

**R:** En Dios hay tres Personas Divinas, únicas y distintas y, sin embargo, iguales en todo — el Padre, el Hijo, y el Espíritu Santo.

En la Biblia: 1 Corintios 12, 4–6; 2 Corintios 13,13; Efesios 4,4–6
En el Catecismo: CEC 252, 254, 255

13. **P:** ¿Es Dios el Padre?

**R:** Sí.

En la Biblia: Éxodo 3,6; Éxodo 4,22
En el Catecismo: CEC 253, 262

14. **P:** ¿Es Dios el Hijo?

**R:** Sí.

En la Biblia: Juan 8,58; Juan10,30
En el Catecismo: CEC 253, 262

15. P: ¿Es Dios el Espíritu Santo?

R: Sí.

En la Biblia: Juan 14,26; Juan 15,26
En el Catecismo: CEC 253, 263

16. P: ¿Qué es la Santísima Trinidad?

R: La Santísima Trinidad es un Dios en tres Personas Divinas —
Padre, Hijo, y Espíritu Santo.

En la Biblia: Mateo 28,19
En el Catecismo: CEC 249, 251

17. P: ¿Qué es el libre albedrío?

R: El libre albedrío es un regalo increíble de Dios que nos permite tomar nuestras
propias decisiones. Este regalo increíble trae consigo una gran responsabilidad.

En la Biblia: Sirácides15,14–15;
En el Catecismo: CEC 1731

18. P: ¿Qué es el pecado?

R: Un pecado es cualquier pensamiento, palabra, hecho,
u omisión deliberada contraria a la ley de Dios.

En la Biblia: Génesis 3,5, Éxodo 20,1–17
En el Catecismo: CEC 1850

19. P: ¿Cuántas clases de pecado hay?

R: Hay dos clases de pecado — venial y mortal.

En la Biblia: 1 Juan 5,16, 17
En el Catecismo: CEC 1855

20. P: ¿Qué es un pecado venial?

R: Un pecado venial es una ofensa leve a Dios.

En la Biblia: Mateo 5,19; 1 Juan 5,16–18
En el Catecismo: CEC 1855; 1863

21. P: ¿Qué es un pecado mortal?

R: Un pecado mortal es una ofensa grave a Dios y en contra de su ley.

En la Biblia: Mateo 12,32; 1 Juan 5,16–18
En el Catecismo: CEC 1855; 1857

22. **P: ¿Nos abandona Dios cuando pecamos?**

    R: Nunca. Dios siempre está llamándonos, rogándonos que volvamos
    a Él y a su camino.

    En la Biblia: Salmo 103, 9–10. 13; Jeremías 3,22; Mateo 28, 20; Lucas 15, 11–32
    En el Catecismo: CEC 27, 55, 982

23. **P: ¿Qué Persona de la Santísima Trinidad se hizo hombre?**

    R: La Segunda Persona, Dios Hijo, se hizo hombre
    sin desprenderse de su naturaleza divina.

    En la Biblia: 1 Juan 4,2
    En el Catecismo: CEC 423, 464

24. **P: ¿Qué nombre se le dio a la Segunda Persona cuando se hizo hombre?**

    R: Jesús.

    En la Biblia: Lucas 1,31; Mateo 1,21
    En el Catecismo: CEC 430

25. **P: ¿Cuándo el Hijo se hizo hombre, tenía una madre humana?**

    R: Sí.

    En la Biblia: Lucas 1,26, 27
    En el Catecismo: CEC 488, 490, 495

26. **P: ¿Quién fue la Madre de Jesús?**

    R: La Santísima Virgen María.

    En la Biblia: Lucas 1,30. 31; Mateo 1,21–23
    En el Catecismo: CEC 488, 495

27. **P: ¿Por qué honramos a María?**

    R: Porque es la Madre de Jesús y también nuestra madre.

    En la Biblia: Lucas 1,48; Juan 19,27
    En el Catecismo: CEC 971

28. **P: ¿Quién fue el verdadero Padre de Jesús?**

    R: Dios Padre.

    En la Biblia: Lucas 1,35; Juan 17,1
    En el Catecismo: CEC 422, 426, 442

29. **P: ¿Quién fue el Padre Adoptivo de Jesús?**

    R: José.

    En la Biblia: Mateo 1,19. 20; Mateo 2,13. 19–21
    En el Catecismo: CEC 437, 488, 1655

30. **P: ¿Es Jesús Dios, o es un hombre, o es ambos Dios y hombre?**

    R: Jesús es ambos Dios y hombre. Como la Segunda Persona de la Santísima Trinidad, es Dios; y como tomó una naturaleza humana de su madre María, Él es hombre.

    En la Biblia: Filipenses 2, 6–7; Juan 1,14. 16; Juan 13,3; 1 Juan 4,2
    En el Catecismo: CEC 464, 469

31. **P: ¿Fue Jesús un hombre también?**

    R: Si, Jesús fue completamente Dios y completamente humano.

    En la Biblia: Lucas 24,39; 1 Juan 4,2–3
    En el Catecismo: CEC 464, 469, 470

32. **P: ¿Qué día nació Jesús?**

    R: Jesús nació el día de Navidad en un establo en Belén.

    En la Biblia: Lucas 2,1–20; Mateo 1,18–25
    En el Catecismo: CEC 437, 563

33. **P: ¿Qué es la Encarnación?**

    R: La Encarnación es la creencia que Jesús se hizo hombre.

    En la Biblia: Juan 1,14; 1 Juan 4,2
    En el Catecismo: CEC 461, 463

34. **P: ¿Amó Jesús la vida?**

    R: Sí.

    En la Biblia: Juan 10,10; Juan 2,1–12
    En el Catecismo: CEC 221, 257, 989

35. **P: Si Jesús amó la vida, ¿por qué murió en la cruz voluntariamente?**

    R: Murió en la cruz porque nos amó más a ti y a mí que a la vida.

    En la Biblia: Romanos 5,8; Juan 15,13; Efesios 5,2
    En el Catecismo: CEC 1825, 604

36. **P: ¿Por qué Jesús sufrió y murió?**

    R: Para que nos fueran perdonados nuestros pecados, y viviéramos con Él en el Cielo para siempre después de esta vida.

    En la Biblia: Juan 3,16; 2 Corintios 5,14—16
    En el Catecismo: CEC 604, 618, 620

37. **P: ¿Cómo llamamos el misterio de Dios hecho hombre?**

    R: El Misterio de la Encarnación.

    En la Biblia: Juan 1,14; 1 Juan 4,2
    En el Catecismo: CEC 461, 463

38. **P: ¿Qué día murió Jesús en la cruz?**

    R: El Viernes Santo, el día después de la Última Cena.

    En la Biblia: Juan 19,16—40; Mateo 27,33—50
    En el Catecismo: CEC 641

39. **P: ¿Qué día resucitó Jesús de entre los muertos?**

    R: El Domingo de Pascua o de Resurrección, tres días después del Viernes Santo.

    En la Biblia: Mateo 28,1—6; Mc 16,1—8
    En el Catecismo: CEC 1169, 1170

40. **P: ¿Qué regalos recibimos como resultado de haber sido salvados por Jesús?**

    R: Al morir en la cruz, Jesús restauró nuestra relación con Dios y abrió una compuerta de gracia.

    En la Biblia: Lucas 23,44—46 Romanos 3,21—26; 2 Corintios 5,17—21
    En el Catecismo: CEC 1026, 1047

41. **P: ¿Qué es la gracia?**

    R: La gracia es la ayuda que Dios nos da para que respondamos generosamente a su llamado a hacer lo que es bueno y correcto, a crecer en virtud, y a vivir una vida santa.

    En la Biblia: Juan 1,12—18; 2 Corintios 12,9
    En el Catecismo: CEC 1996

42. **P: ¿Qué es la Fe?**

R: La fe es un regalo de Dios, una virtud sobrenatural que nos permite creer firmemente todas las verdades que Dios nos ha revelado.

En la Biblia: Hebreos 11,1
En el Catecismo: CEC 1814

43. **P: ¿Qué es la Esperanza?**

R: La Esperanza es un regalo de Dios, una virtud sobrenatural que nos permite confiar firmemente en que Dios cumplirá todas sus promesas y nos llevará al Cielo.

En la Biblia: Romanos 8,24—25; 1 Timoteo 4,10; 1 Timoteo 1,1; Hebreos 6,18—20
En el Catecismo: CEC 1817, 1820—1821

44. **P: ¿Qué es la Caridad?**

R: La Caridad es un regalo de Dios, una virtud sobrenatural que nos permite amar a Dios sobre todas las cosas y a nuestro prójimo como a nosotros mismos.

En la Biblia: Juan 13,34; 1 Corintios 13,4—13
En el Catecismo: CEC 1822, 1823, 1825

45. **P: ¿Te dará Dios los regalos de la Fe, la Esperanza, y la Caridad?**

R: Sí, Dios da los regalos de la Fe, la Esperanza, y la Caridad gratuitamente a todos los que los piden sincera y consistentemente.

En la Biblia: 1 Corintios 13,13
En el Catecismo: CIC1813

46. **P: ¿Por cuánto tiempo me amará Dios?**

R: Dios te amará para siempre.

En la Biblia: Juan 13,1; Romanos 8,35—39
En el Catecismo: CEC 219

47. **P: ¿Cuándo ascendió Jesús al Cielo?**

R: El Jueves de la Ascensión, cuarenta días después de la Pascua de Resurrección.

En la Biblia: Hechos 1,9; Marcos 16,19
En el Catecismo: CEC 659

**48. P: ¿Cuándo descendió el Espíritu Santo sobre los Apóstoles?**

R: El Domingo de Pentecostés, cincuenta días después de la Pascua de Resurrección.

En la Biblia: Juan 20,21.22; Mateo 28,19
En el Catecismo: CEC 731, 1302

**49. P: ¿Qué quiere decir Redención?**

R: Redención quiere decir que la Encarnación, la Vida, la Muerte, y la Resurrección de Jesús pagaron el precio por nuestros pecados, abrieron las puertas del Cielo, y nos libraron del pecado y de la muerte.

En la Biblia: Efesios 1,7; Romanos 3,22–24; Romanos 4,25
En el Catecismo: CEC 517, 606, 613

**50. P: ¿Qué estableció Jesús para continuar su misión redentora?**

R: Estableció la Iglesia Católica.

En la Biblia: Mateo 16,18
En el Catecismo: CEC 773, 778, 817, 822

**51. P: ¿Por qué creemos que la Iglesia Católica es la única y verdadera Iglesia?**

R: Porque es la única Iglesia establecida por Jesús.

En la Biblia: Mateo 16,18
En el Catecismo: CEC 750

**52. P: ¿Importa a qué Iglesia o religión uno pertenece?**

R: Sí, para ser fieles a Jesús, es necesario permanecer en la Iglesia que El estableció.

En la Biblia: Marcos 16,16; Juan 3,5
En el Catecismo: CEC 846

**53. P: ¿Cuáles son las Cuatro Marcas de la Iglesia?**

R: Una, Santa, Católica, y Apostólica.

En la Biblia: Efesios 2,20. 4,3. 5,26; Mateo 28,19; Apocalipsis 21,14
En el Catecismo: CEC 813, 823, 830, 857

**54. P: ¿Cómo preserva la Iglesia las enseñanzas de Jesús?**

R: Por medio de la Sagrada Escritura y la Sagrada Tradición.

En la Biblia: 2 Timoteo 2,2; 2 Tesalonicenses 2,15
En el Catecismo: CEC 78, 81, 82

55. **P: ¿Cómo se diferencia el calendario de la Iglesia del calendario secular?**

R: El primer día del año de la Iglesia es el primer Domingo de Adviento, no el 1° de enero. El calendario de la Iglesia gira alrededor de la vida, muerte, y resurrección de Jesús. A lo largo del año de la Iglesia se despliega el misterio de Jesucristo.

En la Biblia: Lucas 2, 1–20; 1 Corintios 15, 3–4
En el Catecismo: CEC 1163; 1171, 1194

### Profundizando

En el curso del año, experimentamos la historia de Jesús a través de las lecturas de la Misa, de los días de fiesta y de los días de precepto. El calendario de la Iglesia hace esto para recordarnos que la historia de Jesús no se trata simplemente de lo que pasó hace más de dos mil años. Se trata de nuestra amistad con El hoy. Él misterio de su vida, de sus enseñanzas, y de la gracia salvadora está desplegándose en tu vida y en la vida de la iglesia hoy.

56. **P: ¿Le dio Jesús una autoridad especial a uno de los Apóstoles?**

R: Sí, a Pedro, cuando le dijo "Te daré las llaves del Reino de los Cielos, y lo que ates en la tierra será atado en el Cielo, y lo que desates en la tierra será desatado en el Cielo".

En la Biblia: Marcos 3,16. 9,2; Lucas 24,34
En el Catecismo: CEC 552, 881

57. **P: ¿Quién habla con la autoridad que Jesús le dio a San Pedro?**

R: El Papa, que es el sucesor de San Pedro, el Obispo de Roma, y el Vicario de Cristo en la tierra.

En la Biblia: Mateo 16,18; Juan 21, 15–17
En el Catecismo: CEC 891

58. **P: ¿Cómo se llama el Papa actual?**

R: Papa Francisco.

En la Biblia: Mateo 16,18; Juan 21,15–17
En el Catecismo: CEC 936

59. **P: ¿Qué es la Sagrada Liturgia?**

R: El culto público a Dios de la Iglesia.

En la Biblia: Juan 4,23–24
En el Catecismo: CEC 1069, 1070

**60.** **P:** **¿Qué actitud debemos tener cuando participamos en la Sagrada Liturgia?**

**R:** Debemos tener una actitud reverente en nuestro corazón y respeto en nuestras acciones y en nuestra apariencia.

En la Biblia: Hebreos 12,28
En el Catecismo: CEC 2097

**61.** **P:** **¿Qué es un Sacramento?**

**R:** Un Sacramento es un signo exterior instituido por Cristo y confiado a la Iglesia, para dar gracia. La gracia lleva frutos a aquéllos que lo reciben con la disposición requerida.

En la Biblia: 2 Pedro 1,4
En el Catecismo: CEC 1131

### Profundizando

Dios te da gracia para ayudarte a hacer lo que es bueno y correcto. Cuando te abres a Dios, también te da gracia para que seas bueno, generoso, valiente y compasivo con el prójimo. La gracia trae frutos buenos a nuestra vida. Una de las maneras más poderosas en las que Dios comparte su gracia con nosotros es por medio de los Sacramentos. Esta gracia nos ayuda a convertirnos en la-mejor-versión-de-nosotros-mismos, a crecer en virtud y a vivir una vida santa.

**62.** **P:** **¿Cómo comparte Jesús su vida con nosotros?**

**R:** Durante su vida terrenal, Jesús compartió su vida con otras personas por medio de sus palabras y de sus obras; ahora, Él comparte la misma vida con nosotros a través de los Sacramentos.

En la Biblia: Juan 3,16
En el Catecismo: CEC 521; 1131, 1115–1116

### Profundizando

A Dios le encanta compartir su vida y su amor con nosotros. Podemos experimentar su vida por medio de la oración diaria, de la Escritura, y sirviendo unos a otros. La manera más poderosa en que Dios comparte su vida con nosotros es por medio de los Sacramentos. La Misa dominical y la Reconciliación regular son dos Sacramentos que nos guían y nos alientan en nuestra jornada para convertirnos en la-mejor-versión-de-nosotros-mismos, crecer en virtud, y vivir una vida santa.

63. **P: ¿Cuántos Sacramentos hay?**

   R: Siete.

   En la Biblia: Juan 20, 22–23; Lucas 22, 14–20; Juan 7,37–39, Santiago 5, 14–16; Hebreos 5, 1–6; Mateo 19,6
   En el Catecismo: CEC 1113

64. **P: ¿Cuáles son los siete Sacramentos, y cuáles has recibido tú?**

   R: Bautismo, Reconciliación, Eucaristía, Confirmación, Orden Sacerdotal, Matrimonio, Unción de los Enfermos. Tú has recibido el Bautismo, la Reconciliación, y la Eucaristía.

   En la Biblia: Juan 20, 22–23; Lucas 22, 14–20; Juan 7,37–39, Santiago 5, 14–16; Hebreos 5, 1–6; Mateo 19,6
   En el Catecismo: CEC 1113

65. **P: ¿Cuáles son los Sacramentos que puedes recibir sólo una vez?**

   R: El Bautismo, la Confirmación, y el Orden Sacerdotal.

   En la Biblia: Efesios 4,30
   En el Catecismo: CEC 1272

66. **P: ¿Cómo se lleva a cabo la iniciación cristiana?**

   R: La iniciación cristiana se lleva a cabo con tres Sacramentos: el Bautismo, que es el comienzo de la nueva vida; la Confirmación, que fortalece nuestra nueva vida en Cristo; y la Eucaristía, que alimenta a los discípulos con el Cuerpo y la Sangre de Jesús para que seamos transformados en Cristo.

   En la Biblia: Juan 3,5; He 8,14–17; Juan 6,51–58
   En el Catecismo: CEC 1212; 1275

   ## Profundizando

   La vida es un caminar con Dios. El Bautismo, la Confirmación y la Primera Comunión son grandes momentos en nuestro caminar; son Sacramentos que obran juntos para ayudarte a vivir tu vida mejor. En el Bautismo, recibimos una nueva vida en Jesús; en la Confirmación, Dios nos recuerda que tiene una misión especial pata todos y cada uno de nosotros; y la Primera Comunión nos da la fuerza y la sabiduría para vivir esa misión sirviendo a Dios y a los demás.

67. **P: Cuando naciste, ¿tenías Gracia Santificante (una parte en la vida de Dios)?**

   R: No.

   En la Biblia: Colosenses 1,12–14
   En el Catecismo: CEC 403, 1250

68. **P: ¿Por qué no nacemos con Gracia Santificante?**

R: Porque nacemos con el pecado original que
es la pérdida de la Gracia Santificante.

En la Biblia: Génesis 3,23
En el Catecismo: CEC 403, 1250

69. **P: ¿Fue algún ser humano concebido sin pecado original?**

R: Sí, María en su Inmaculada Concepción.

En la Biblia: Lucas 1:28
En el Catecismo: CEC 491, 492

70. **P: ¿Cuál fue el pecado original?**

R: Adán y Eva fueron tentados por el diablo, y escogieron desconfiar de la
bondad de Dios y desobedecer su ley.

En la Biblia: Génesis 3,1–11; Romanos 5,19
En el Catecismo: CEC 397

71. **P: ¿Hay realmente un diablo?**

R: Sí.

En la Biblia: 1 Juan 5,19; 1 Pedro 5,8
En el Catecismo: CEC 391

72. **P: ¿Es más fácil ser malo o ser bueno?**

R: Es más fácil ser malo, porque el pecado original nos ha dejado con una
inclinación a pecar, llamada concupiscencia.

En la Biblia: Romanos 7,15–18
En el Catecismo: CEC 409, 1264, 2516

73. **P: ¿Cuándo recibiste la Gracia Santificante por primera vez?**

R: En el Bautismo.

En la Biblia: 2 Corintios 5,17
En el Catecismo: CEC 1265

74. **P: ¿Qué es el Bautismo?**

R: Es el Sacramento del renacer en Jesús que es necesario para la salvación.

En la Biblia: 2 Corintios 5,17; 2 Pedro 1,4; Gálatas 4,5–7
En el Catecismo: CEC 1266, 1277, 1279

**Profundizando**

El Bautismo es una gran bendición. Por medio de tu Bautismo te conviertes en miembro de la Iglesia Católica. Esta es otra razón maravillosa por la cual ser católico es una gran bendición. Por medio de tu Bautismo recibiste una nueva vida en Jesús. Tú fuiste hecho para la misión. Dios tenía esa misión en mente cuando fuiste bautizado y, desde entonces, cada día ha estado preparándote para tu misión. Descubrimos esa misión por medio de la oración, de los Sacramentos, y del servicio al prójimo. Dios no revela nuestra misión de una sola vez, Él la revela paso a paso.

75. **P: ¿Cuáles son los frutos del Bautismo?**

R: El Bautismo nos hace cristianos, nos limpia del pecado original y personal, y nos recuerda que somos hijos de Dios y miembros del Cuerpo de Cristo — la Iglesia.

En la Biblia: Gálatas 4,5–7
En el Catecismo: CEC 1279

**Profundizando**

En el Bautismo Dios nos da muchos regalos. Nos volvemos cristianos, nuestros pecados son perdonados, se nos da una nueva vida en Jesús, y Dios nos marca para una gran misión. Dios puede hacer todo esto por medio del poder del Espíritu Santo. En el Bautismo, nuestra alma se inunda con el don del Espíritu Santo, el cual nos ayuda en nuestra jornada a acercarnos más a Dios. Todos y cada uno de los Sacramentos que recibimos están llenos de regalos, grandes y pequeños. Cada bendición nos recuerda que somos hijos de un Padre amoroso.

76. **P: ¿Qué hizo el Bautismo por ti?**

R: El Bautismo te hizo miembro del Cuerpo de Dios, te hizo hijo/hija de Dios, y te libró del pecado original.

En la Biblia: 2 Corintios 5,17; 2 Pedro 1,4; Gálatas 4,5–7
En el Catecismo: CEC 1266, 1279

77. **P: ¿Qué edad tiene que tener una persona para ser bautizada?**

R: Una persona puede ser bautizada a cualquier edad. Desde los primeros tiempos del cristianismo, el Bautismo ha sido administrado a bebés porque es una gracia y un regalo dado gratuitamente por Dios y no presupone ningún mérito humano.

En la Biblia: Hechos 2,37–39
En el Catecismo: CEC 1282

### Profundizando

El amor de Dios es un don gratuito. No hay nada que puedas hacer para ganarlo o perderlo. Puedes ser tentado a pensar que es algo que hay que ganar; esto no es cierto. Dios te amó en la vida, y te amó en la Iglesia. No hiciste nada para nacer, y si fuiste bautizado de bebé, no hiciste nada para ser bautizado. No hiciste nada para merecer la vida o el Bautismo. Dios te da la vida y la fe gratuitamente.

78. **P: ¿Quién administra el Sacramento del Bautismo?**

R: En una emergencia, cualquier persona puede administrar el Sacramento del Bautismo echando agua sobre la cabeza de la persona y diciendo "Yo te bautizo en el Nombre del Padre, y del Hijo, y del Espíritu Santo"; pero usualmente es administrado por un sacerdote o un diácono.

En la Biblia: Mateo 28,19
En el Catecismo: CEC 1284

### Profundizando

No todas las personas son bautizadas de bebés, algunas no aprenden sobre Jesús hasta que son adultas. Pero Dios quiere que todos reciban la bendición del Bautismo. Él quiere que todos sean parte de su familia la Iglesia Católica, quiere que todos estén libres del pecado original. Él quiere que todos tengan una vida nueva en su Hijo Jesús y que pasen la eternidad con Él en el Cielo.

79. **P: ¿Cuánto tiempo permaneces siendo hijo de Dios?**

R: Para siempre.

En la Biblia: 1 Pedro 1,3. 4
En el Catecismo: CEC 1272, 1274

80. **P: ¿Puedes dejar de ser parte de la vida de Dios después del Bautismo?**

R: Sí.

En la Biblia: Marcos 3,29
En el Catecismo: CEC 1861

81. **P: ¿Podemos perder la nueva vida de gracia que Dios nos ha dado gratuitamente?**

R: Sí. La nueva vida de gracia se puede perder por el pecado.

En la Biblia: 1 Corintios 6,9; 2 Corintios 5, 19–21, 1 Juan 1,9
En el Catecismo: CEC 1420

## Profundizando

En el Bautismo somos llenados con una gracia muy especial. Esta gracia nos bendice con una vida nueva y nos lleva a la amistad con Dios. Esa vida nueva puede lastimarse o perderse cuando pecamos. Cuando eso pase, no te preocupes, porque ¡Dios nos ha dado la bendición de la Reconciliación! Siempre que estemos sinceramente arrepentidos de haber pecado, podremos experimentar nuevamente la plenitud de la vida con Dios. ¡La Reconciliación es una gran bendición!

82. **P: ¿Cómo puedes perder la Gracia Santificante (una parte en la vida de Dios)?**
    R: Cometiendo un pecado mortal.

    En la Biblia: Gálatas 5,19–21; Romanos 1,28–32
    En el Catecismo: CEC 1861

83. **P: ¿Cuáles son las dos clases de pecados personales (pecados que cometemos)?**
    R: Venial y mortal.

    En la Biblia: 1 Juan 5,16. 17
    En el Catecismo: CEC 1855

84. **P: ¿Qué es un pecado venial?**
    R: Una ofensa ligera en contra de Dios.

    En la Biblia: Mateo 5,19; Mateo 12,32; 1 Juan 5, 16–18
    En el Catecismo: CEC 1855; 1863

85. **P: ¿Qué es un pecado mortal?**
    R: Una ofensa grave en contra de Dios y de su ley.

    En la Biblia: Mateo 12,32; 1 Juan 5,16–18
    En el Catecismo: CEC 1855; 1874

86. **P: ¿Nos abandona Dios cuando pecamos?**
    R: Nunca. Dios siempre está llamándonos, rogándonos que volvamos a Él y a su camino.

    En la Biblia: Salmo 103, 9–10. 13; Jeremias 3,22; Mateo 28,20; Lucas 15, 11–32
    En el Catecismo: CEC 55; 301; 410

87. P: ¿Cuál es el peor pecado?

R: El pecado mortal.

> En la Biblia: 1 Juan 5,16
> En el Catecismo: CEC 1855, 1874, 1875

88. P: ¿Cuáles son las tres características que hacen a un pecado mortal?

R: 1. Desobedecer a Dios en algo serio.

2. Hacer algo que sabes que es malo.

3. A pesar de todo decidir libremente hacerlo.

> En la Biblia: Marcos 10,19; Lucas 16, 19–31; Santiago 2, 10–11
> En el Catecismo: CEC 1857

89. P: ¿Qué pasa si mueres en estado de pecado mortal?

R: Vas al infierno.

> En la Biblia: 1 Juan 3,14–15; Mateo 25,41–46
> En el Catecismo: CEC 1035, 1472, 1861, 1874

90. P: ¿Hay realmente un infierno?

R: Si, es el lugar de separación eterna de Dios

> En la Biblia: Isaías 66,24; Marcos 9,47. 48
> En el Catecismo: CEC 1035

91. P: ¿Qué pasa si mueres con un pecado venial en tu alma?

R: Vas al purgatorio, donde eres purificado y perfeccionado.

> En la Biblia: 1 Corintios 3,14–15; 2 Macabeos 12,45–46
> En el Catecismo: CEC 1030, 1031, 1472

92. P: ¿Qué les pasa a las almas en el purgatorio después de su purificación?

R: Van al Cielo.

> En la Biblia: 2 Macabeos 12,45
> En el Catecismo: CEC 1030

93. P: ¿Hay realmente un Cielo?

R: Si; es el lugar de felicidad eterna con Dios.

> En la Biblia: 1 Juan 3,2; 1 Corintios 13,12; Apocalipsis 22,4
> En el Catecismo: CEC 1023, 1024

**94. P: ¿Puede cualquier pecado ser perdonado sin importar cuán grave sea?**

R: Sí, cualquier pecado, no importa cuán grave es o cuántas veces es cometido, puede ser perdonado.

En la Biblia: Mateo 18,21–22
En el Catecismo: CEC 982

**95. P: ¿Cuál es el propósito principal del Sacramento de la Reconciliación?**

R: El propósito principal del Sacramento de la Reconciliación es el perdón de los pecados cometidos después del Bautismo.

En la Biblia: Sirácides 18,12–13; Sirácides 21,1; Hechos 26, 17–18
En el Catecismo: CEC 1421; 1446; 1468

## Profundizando

Por medio del Bautismo nos convertimos en hijos de Dios, somos bienvenidos a una nueva vida de gracia, y se nos da la promesa del Cielo. A medida que crecemos, podemos hacer cosas que dañan nuestra relación con Dios; pero Él sigue amándonos, y nos invita a participar regularmente en la Reconciliación para que nuestra amistad con Él siempre pueda ser tan fuerte como lo fue en el Bautismo. Si ofendemos a Dios, lo mejor que hay que hacer es decirle que lo sentimos yendo a la Reconciliación.

**96. P: ¿Cuales son otros nombres por los que se conoce el Sacramento de la Reconciliación?**

R: En diferentes lugares y en distintos momentos, también se le llama el Sacramento de la Conversión, de la Confesión o de la Penitencia.

En la Biblia: Marcos 1,15; Proverbios 28,13; Hechos 3,19; 2 Pedro 3,9
En el Catecismo: CEC 1423; 1424

## Profundizando

Jesús te ama y quiere salvarte de tus pecados. Quiere salvarte porque quiere vivir en amistad contigo en la tierra y en el Cielo. Él quiere compartir su alegría contigo y que tú, compartas esa alegría con los demás. No importa qué nombre se use, el Sacramento de la Reconciliación restaura nuestra amistad con Dios y nos ayuda a convertirnos en la-mejor-versión-de-nosotros-mismos, a crecer en virtud, y a vivir una vida santa.

**97.** **P:** **¿Es el Sacramento de la Reconciliación una bendición?**

R: Sí, es una gran bendición de Dios.

> En la Biblia: Salmo 32, 1–2; Romanos 4,6–8
> En el Catecismo: CEC 1468; 1496

**98.** **P:** **¿Quién comete pecados?**

R: Todas las personas pecan.

> En la Biblia: Romanos 3,23–25; 1 Juan 1,8–10
> En el Catecismo: CEC 827

**99.** **P:** **¿Cómo puede ser perdonado un pecado mortal?**

R: Por medio del Sacramento de la Reconciliación.

> En la Biblia: 2 Corintios 5,20–21
> En el Catecismo: CEC 1446, 1497

**100.** **P:** **Cuál es la manera común de reconciliarnos con Dios y con su Iglesia?**

R: La manera común de reconciliarnos con Dios y con su Iglesia es por medio de la confesión personal de todo pecado grave a un sacerdote, seguida de la absolución.

> En la Biblia: Juan 20,23
> En el Catecismo: CEC 1497

**Profundizando**

Todos nos alejamos de Dios de vez en cuando. Cuando lo hacemos, es un buen momento de ir al Sacramento de la Reconciliación y decirle a Dios lo siento. Puedes ser tentado a caer en la trampa de pensar que tu pecado es demasiado grande para que Dios lo perdone; mas no hay nada que puedas hacer para que Dios deje de amarte. Las puertas de la iglesia siempre están abiertas y Dios siempre está dispuesto a perdonarnos cuando sentimos haber pecado. ¡El Sacramento de la Reconciliación es una gran bendición!

**101.** **P:** **Cuáles son las tres cosas que tienes que hacer para recibir el perdón de los pecados en el Sacramento de la Reconciliación?**

R: 1. Estar sinceramente arrepentido de haber pecado.
   2. Confesar todos los pecados mortales por su nombre y el número de veces cometidos desde la última confesión.
   3. Buscar la manera de enmendar tu vida.

En la Biblia: Romanos 8,17; Romanos 3,23–26
En el Catecismo: CEC 1448

### Profundizando

Cuando pecamos nos volvemos intranquilos e infelices. Dios no quiere esto, así que nos invita a ir a la Reconciliación para llenarnos con su alegría. Puede que haya momentos en tu vida en que te sientas lejos de Dios; pero nunca pienses que Dios no quiere que vuelvas a Él. Nunca pienses que tus pecados son más grandes que el amor de Dios. El amor y la misericordia de Dios siempre estarán esperándote en el Sacramento de la Reconciliación.

102. P: ¿Cuáles son las tres acciones que se nos piden realizar en el Sacramento de la Reconciliación?

R: Arrepentirnos de haber pecado, confesar los pecados al sacerdote, y tener la intención de expiar nuestros pecados cumpliendo la penitencia que nos da el sacerdote.

En la Biblia: 1 Juan 1,9
En el Catecismo: CEC 1491

### Profundizando

La Reconciliación regular es una de las maneras más poderosas en que Dios comparte su gracia y su misericordia con nosotros. Dios nos pide que nos arrepintamos de haber pecado, que confesemos nuestros pecados en voz alta al sacerdote, y que hagamos un acto de penitencia para que nuestra amistad con Dios sea restaurada y fortalecida. Mientras más asistas a la Reconciliación, más llegarás a darte cuenta del poder increíble de la gracia y de la misericordia de Dios en tu vida.

103. P: ¿Quién tiene poder para perdonar los pecados?

R: Jesucristo por medio de un sacerdote católico.

En la Biblia: Juan 20,23; 2 Corintios 5,18
En el Catecismo: CEC 1461, 1493, 1495

104. P: ¿Puede el sacerdote hablar de tus pecados con otras personas?

R: No. El sacerdote tiene que guardar en secreto todos los pecados que le son confesados.

En la Biblia: 2 Corintios 5,18–19
En el Catecismo: CEC 1467

### Profundizando

Si estás nervioso acerca de ir a la Confesión, está bien; estar nervioso es natural. Sólo entiende que el sacerdote está ahí para ayudarte; él no pensará mal de ti debido a tus pecados ni le dirá a nadie cuáles son. Por el contrario, estará feliz de que hayas ido a confesarte. Recuerda, el sacerdote está ahí para animarte, para extenderte el amor y la misericordia de Dios, y para ayudarte a crecer en virtud.

**105. P: ¿Cuál es el propósito de la penitencia?**

R: Después de haber confesado tus pecados, el sacerdote te dará una penitencia para que la cumplas. El propósito de estos actos de penitencia es reparar el daño causado por el pecado y restablecer los hábitos de un discípulo de Cristo.

En la Biblia: Lucas 19,8; Hechos 2,38
En el Catecismo: CEC 1459–1460

### Profundizando

La amistad es hermosa; pero también es frágil. Dios nos da el Sacramento de la Reconciliación para sanar el dolor causado por el pecado y reparar nuestra amistad con Él. Cuando cumplimos nuestra penitencia le mostramos a Dios que estamos sinceramente arrepentidos. La penitencia ayuda a nuestra alma a estar saludable de nuevo.

**106. P: ¿Con cuánta frecuencia debo ir a confesarme?**

R: Debes ir inmediatamente si estás en estado de pecado mortal; de otra manera, es recomendable que vayas una vez al mes, ya que es muy recomendable confesar los pecados veniales. Antes de la confesión, debes examinar tu conciencia cuidadosamente.

En la Biblia: Hechos 3,19; Lucas 5, 31–32; Jeremías 31,19
En el Catecismo: CEC 1457, 1458

### Profundizando

A Dios le gustan las relaciones saludables, y el perdón es esencial para tenerlas. Asistir regularmente al Sacramento de la Reconciliación y pedir perdón, es una manera poderosa de tener una relación fabulosa con Dios. Muchos de los santos iban a la Reconciliación todos los meses, algunos aún con más frecuencia. Ellos sabían que ir a confesarse era la única manera de estar reconciliados con Dios. También sabían que nada les proporcionaba más alegría que tener una fuerte amistad con Jesús.

**107.** P: ¿Nos reconcilia el Sacramento de la Reconciliación solamente con Dios?

R: No. El Sacramento de la Reconciliación nos reconcilia
con Dios y tambien con la Iglesia.

En la Biblia: 1 Corintios 12,26
En el Catecismo: CEC 1422, 1449, 1469

### Profundizando

Dios se deleita en su relación contigo y en tu relación con la Iglesia. El pecado
enferma tu alma, lastima a otras personas, y daña tu relación con Dios y
con la Iglesia. Cuando nos confesamos, Dios nos perdona y sana nuestra
alma. También sana nuestra relación con Él y con la Iglesia por medio del
Sacramento de la Reconciliación.

**108.** P: ¿Cómo experimentamos la misericordia de Dios?

R: Nosotros experimentamos la misericordia de Dios en el Sacramento de la
Reconciliación; también a través de la bondad, la generosidad, y la compasión
de otras personas. La misericordia de Dios nos acerca a Él. También podemos
ser instrumentos de la misericordia de Dios realizando obras de misericordia
con bondad, generosidad y compasión.

En la Biblia: Lucas 3,11; Juan 8,11
En el Catecismo: CEC 1422, 1449, 2447

### Profundizando

Algunas veces cuando hacemos algo que está mal, podemos estar tentados
a pensar que Dios ya no nos amará. Pero eso nunca es cierto. Dios siempre
te amará porque nuestro Dios es un Dios misericordioso. Él nos muestra su
misericordia perdonándonos, enseñándonos y cuidando de nuestras necesidades
físicas y espirituales aun cuando no lo merezcamos. Nos muestra su misericordia
a través del Sacramento de la Reconciliación y a través de las acciones amorosas
de otras personas. Dios te invita a propagar su misericordia perdonando al
prójimo, rezando por otras personas, y cuidando de los necesitados.

**109.** P: :¿En qué lugar de la Iglesia está presente Jesús de una manera especial?

R: En el tabernáculo.

En la Biblia: Éxodo 40,34; Lucas 22,19
En el Catecismo: CEC 1379

**110.** **P:** ¿Quién es la fuente de todas las bendiciones?

**R:** Dios es la fuente de todas las bendiciones. En la Misa, alabamos y adoramos a Dios Padre como la fuente de toda bendición en la Creación. También le damos gracias a Dios Padre por enviarnos a su Hijo. Sobre todo, le expresamos nuestra gratitud a Dios Padre por hacernos hijos suyos.

En la Biblia: Lucas 1,68–79; Salmo 72,18–19;
En el Catecismo: CEC 1083, 1110

### Profundizando

Dios te ha bendecido de muchas maneras; pero toda bendición viene de la primerísima bendición — ¡la vida! Dios te ha dado la vida y te ha hecho hijo/a suyo. ¡Esta es una bendición increíble! Una de las maneras más grandes en que podemos mostrarle a Dios nuestra gratitud es asistiendo a Misa. Al estar ahí todos los domingos y participando en la Misa, le muestras a Dios cuán agradecido estás por todo lo que Él ha hecho por ti.

**111.** **P:** **Verdadero o Falso. Cuando recibes la Eucaristía recibes un pedazo de pan que significa, simboliza, o representa a Jesús.**

**R:** Falso.

En la Biblia: Mateo 26,26
En el Catecismo: CEC 1374, 1413

**112.** **P:** ¿Qué recibes en la Eucaristía?

**R:** El Cuerpo, la Sangre, el Alma, y la Divinidad de Cristo.

En la Biblia: 1 Corintios 11,24; Juan 6,54–55
En el Catecismo: CEC 1374, 1413

### Profundizando

Jesús está verdaderamente presente en la Eucaristía. No es un símbolo, es Jesús. Nosotros recibimos completamente a Jesús en la Eucaristía. Hasta la miga más pequeña de una hostia contiene a Jesús en su totalidad. El pan y el vino se convierten en Jesús en el momento de la consagración. Este es un momento increíble. En este momento Jesús vuelve a estar entre nosotros. Cada vez que vas a Misa, el pan y el vino son transformados en el Cuerpo y la Sangre de Jesús. Dios te ha bendecido al poder recibir a Jesús en la Eucaristía.

113. **P: ¿Qué es la Transubstanciación?**

R: El momento en que el pan y el vino de convierten en el Cuerpo y la Sangre de Jesús.

En la Biblia: Mateo 26,26; Marcos 14,22; Lucas 22,19–20
En el Catecismo: CEC 1376

### Profundizando

Dios tiene el poder de transformar todas las personas y cosas con las que Él tiene contacto. Todos los días, en toda la Iglesia Católica, durante cada misa, Dios transforma el pan y el vino comunes en el Cuerpo y la Sangre de Jesucristo. Después de recibir a Jesús en la Eucaristía, muchos de los Santos rezaban para convertirse en lo que habían recibido. Dios respondió sus oraciones y transformó su vida ayudándolos a vivir como Jesús. Al igual que con los Santos, Dios puede transformar tu vida. Cada vez que recibes a Jesús en la Eucaristía de una manera meritoria, puedes volverte un poco más como El. Al igual que Jesús, puedes amar generosamente, y servir de una manera impactante a todo el que encuentres.

114. **P: ¿Cuándo se transforman el pan y el vino en el Cuerpo y la Sangre de Cristo?**

R: Son transformados por las palabras y la intención del sacerdote en el momento de la consagración, durante la Misa. El sacerdote, pidiendo la ayuda del Espíritu Santo, dice las mismas palabras que Jesús dijo en la Última Cena: "Este es mi cuerpo que será entregado por ustedes. Este es el cáliz de mi sangre".

En la Biblia: Marcos 14,22; Lucas 22,19–20
En el Catecismo: CEC 1412, 1413

### Profundizando

La Última Cena es la comida más famosa de la historia del mundo. En ese lugar hace más de dos mil años, Jesús se entregó completamente a sus discípulos. Cada vez que vamos a Misa, el sacerdote pronuncia las mismas palabras que Jesús dijo durante la Última cena. Cuando lo hace, el pan de trigo y el vino de uva se convierten en el Cuerpo y la Sangre de Jesús. ¡Asombroso! Jesús quiere entregarse completamente a ti igual que se entregó completamente a sus discípulos en la Ultima Cena. Jesús quiere ser invitado a tu vida, quiere animarte, guiarte, escucharte, y amarte. Él se ofrece a ti de una manera especial en la Misa, especialmente en el regalo asombroso de la Santa Eucaristía.

115. **P: ¿Cuáles son los beneficios de recibir el Cuerpo y la Sangre de Jesús en la Eucaristía?**

R: Cuando recibes a Jesús en la Eucaristía te unes más con el Señor, tus pecados veniales son perdonados, y recibes gracia para evitar los pecados mortales. Recibir a Jesús en la Eucaristía también aumenta tu amor por Él y refuerza el hecho que eres miembro de la familia de Dios — la Iglesia Católica.

En la Biblia: Juan 6,56–57
En el Catecismo: CEC 1391–1396

### Profundizando

La Eucaristía nos da poder para hacer grandes cosas por Dios. Los santos hicieron cosas increíbles por Dios durante su vida y la Eucaristía fue la fuente de su fortaleza. Por medio de la Eucaristía nos acercamos más a Dios, nos alejamos más de los hábitos pecaminosos, y crecemos en el amor a Jesús y a la Iglesia Católica. La Eucaristía es el alimento supremo para tu alma y te dará la fuerza y el valor necesarios para servir a Dios y al prójimo de una manera impactante al igual que los santos.

116. P: **¿Cuán importante es la Eucaristía para la vida de la Iglesia?**

R: La Eucaristía es indispensable en la vida de la Iglesia. La Eucaristía es el corazón de la Iglesia. Una de las razones por las que la Eucaristía es tan importante para la vida de la Iglesia es porque a través de ella Jesús une a todos los miembros de la Iglesia con su sacrificio en la cruz. Toda gracia que fluye del sufrimiento, la muere, y la resurrección de Jesús viene a nosotros a través de la Iglesia.

En la Biblia: Juan 6,51. 54. 56
En el Catecismo: CEC 1324, 1331, 1368, 1407

### Profundizando

Jesús prometió estar siempre con nosotros, pase lo que pase. Él ha estado cumpliendo esa promesa por más de 2,000 años. Jesús está siempre con nosotros en la Eucaristía. La Eucaristía nos une a Jesús y a su Iglesia. También nos une unos a otros. Somos bendecidos al tener la Eucaristía. Sólo por medio de la Iglesia Católica podemos recibir el regalo de la Eucaristía. ¡Es una bendición ser católico!

117. P: **¿Debes recibir la Eucaristía en estado de pecado mortal?**

R: No. Si lo haces, cometes el pecado mortal adicional de sacrilegio.

En la Biblia: 1 Corintios 11,27–29
En el Catecismo: CEC 1385, 1415, 1457

## Profundizando

Sería terrible si Jesús viene a visitar tu casa y está tan desordenada que no puedes abrir la puerta para dejarlo entrar. No importa cuánto quiera Jesús ser parte de nuestra vida, Él nunca se nos impondrá. El pecado mortal le tira la puerta de nuestra alma a Jesús en su cara; rompe nuestra relación con Dios y previene que las gracias maravillosas de la Eucaristía fluyan en nuestro corazón, en nuestra mente, y en nuestra alma. La Reconciliación vuelve a abrir la puerta de nuestra alma y deja que Jesús entre en nuestra vida de nuevo.

**118.** P: ¿Qué es un sacrilegio?

R: El abuso de una persona sagrada, de un lugar sagrado, o de una cosa sagrada.

En la Biblia: 1 Corintios 11,27–29
En el Catecismo: CEC 2120

**119.** P: Si estás en estado de pecado mortal, ¿qué debes hacer antes de recibir la Eucaristía?

R: Debes confesarte lo antes posible.

En la Biblia: 2 Corintios 5,20
En el Catecismo: CEC 1385, 1457

**120.** P: ¿Quién ofreció la primera Misa?

R: Jesucristo.

En la Biblia: Marcos 14,22–24
En el Catecismo: CEC 1323

**121.** P: ¿Cuándo ofreció Jesús la primera Misa?

R: La noche del Jueves Santo, la noche antes de morir, en la Última Cena.

En la Biblia: Mateo 26,26–28
En el Catecismo: CEC 1323

**122.** P: ¿Quién ofrece el Sacrificio Eucarístico?

R: Jesús es el eterno Sumo Sacerdote. En la Misa, Él ofrece el Sacrificio Eucarístico por medio del ministerio del sacerdote.

In the Bible: Marcos 14,22; Mateo 26,26; Lucas 22,19; 1 Corintios 11,24
En el Catecismo: CEC 1348

### Profundizando

La Ultima Cena fue la primera celebración eucarística; fue la Primera Comunión de los discípulos, y la primera vez que alguien recibió la Eucaristía. La Misa no es simplemente un símbolo de lo que pasó esa noche. Jesús está verdaderamente presente en la Eucaristía. Cada vez que comulgamos, Jesús se entrega a nosotros de la misma manera que se entregó a sus discípulos hace más de 2,000 años. En la Misa, Jesús obra a través del sacerdote para transformar el pan y el vino en su Cuerpo y su Sangre.

123. **P: ¿Qué es el Sacrificio de la Misa?**

R: Es el sacrificio de Jesucristo en el Calvario, la conmemoración de la Pascua de Cristo, hecha presente cuando el sacerdote repite las palabras de la consagración pronunciadas por Jesús sobre el pan y el vino en la Última Cena.

En la Biblia: Hebreos 7,25–27
En el Catecismo: CEC 1364, 1413

### Profundizando

Dios nos ama tanto que irá a extremos inimaginables para probar su amor por nosotros. El Viernes Santo, Jesús fue golpeado, fanfarroneado, burlado, escupido, maldecido, y crucificado. Jesús dio su vida por nosotros. El Domingo de Pascua, Jesús resucitó de entre los muertos. Lo hizo para que nosotros pudiéramos vivir una vida muy diferente aquí en la tierra y felizmente con Él para siempre en el Cielo. Cada vez que vamos a Misa recordamos la vida de Jesús, el camino que Él nos invita seguir, y los extremos increíbles a los que Él fue para mostrarnos su amor.

124. **P: ¿Quién puede presidir la Eucaristía?**

R: Solamente un sacerdote ordenado puede presidirla y consagrar el pan y el vino para que se transformen en el Cuerpo y la Sangre de Jesús.

En la Biblia: Juan 13,3–8
En el Catecismo: CEC 1411

### Profundizando

Ser sacerdote es un gran honor y un gran privilegio. Los sacerdotes dan su vida para servir a Dios y a su pueblo. El sacerdocio es una vida de servicio. Uno de los supremos privilegios del sacerdocio es ocupar el lugar de Jesús y transformar el pan y el vino en la Eucaristía. Este privilegio está reservado solamente para los sacerdotes. Nadie más que un sacerdote puede hacerlo.

125. **P: ¿Cómo participamos en el Sacrificio de la Misa?**

R: Uniéndonos y uniendo nuestras intenciones al pan y al vino ofrecido por el sacerdote, que se convierten en el sacrificio de Jesús que Él ofreció al Padre.

En la Biblia: Romanos 12,1
En el Catecismo: CEC 1407

126. **P: ¿Qué incluye siempre la celebración eucarística en que participamos en la Misa?**

R: Incluye la proclamación de la Palabra de Dios; la acción de gracias a Dios Padre por todas sus bendiciones; la consagración del pan y el vino; y la participación en el banquete litúrgico recibiendo el Cuerpo y la Sangre del Señor. Estos elementos constituyen un solo acto de culto.

En la Biblia: Lucas 24,13–35
En el Catecismo: CEC 1345–1355, 1408

### Profundizando

La Misa sigue una cierta formula que siempre se repite y nunca cambia. Puedes ir a Misa en cualquier parte del mundo y siempre encontrarás que es igual. En toda Misa leemos de la Biblia, le mostramos nuestra gratitud a Dios por la bendición de Jesús, somos testigos de la transformación del pan y el vino en el Cuerpo y la Sangre de Jesús, y recibimos a Jesús durante la comunión. En medio de esta gran rutina, Dios quiere sorprenderte. Podrías pasar toda la vida yendo a Misa cada día y al fin de tu vida todavía ser sorprendido por lo que Dios tiene que decirte en la Misa. ¡La Misa es verdaderamente asombrosa!

127. **P: ¿Qué papel juega la música en la Misa?**

R: La música sagrada nos ayuda a rendirle culto a Dios.

En la Biblia: Salmo 57,8–10; Efesios 5,19; Hebreos 2,12; Colosenses 3,16
En el Catecismo: CEC 1156

### Profundizando

Algunas veces, cuando estamos orando puede ser difícil encontrar las palabras correctas para expresar cómo nos sentimos. Para ayudarnos, Dios nos da el gran regalo de la música sagrada. Durante la Misa habrá cantos de alabanza, cantos de adoración, cantos de petición, y cantos de acción de gracias. La música sagrada ayuda a elevar nuestro corazón a Dios y a unirnos como una comunidad clamando a Dios con una voz.

**128.** P: ¿Cuál es el Día del Señor?

R: El domingo es el Día del Señor. Es un día de descanso; un día para que se reúna la familia. Es el día principal para celebrar la Eucaristía porque es el día de la Resurrección.

En la Biblia: Éxodo 31,15; Mateo 28,1; Marcos 16,2; Juan 20,1
En el Catecismo: CEC 1166; 1193; 2174

**Profundizando**

El domingo es un día muy especial. La Resurrección de Jesús es tan importante que la celebramos todos los días en la Misa; pero cada domingo la celebramos de una manera especial. Lo hacemos descansando, pasando tiempo con la familia, y yendo a Misa. El Día del Señor es un día para maravillarse de todas las maneras asombrosas que Dios nos ha bendecido, y por eso es un día de agradecimiento.

**129.** P: Es un pecado mortal dejar de ir a Misa el domingo o un día de precepto por tu propia falta?

R: Sí.

En la Biblia: Éxodo 20,8
En el Catecismo: CEC 2181

**130.** P: ¿Qué persona de la Santísima Trinidad recibes en la Confirmación?

R: El Espíritu Santo

En la Biblia: Romanos 8,15
En el Catecismo: CEC 1302

**131.** P: ¿Qué pasa en el Sacramento de la Confirmación?

R: El Espíritu Santo desciende sobre nosotros y nos fortalece para que seamos soldados de Cristo, para que podamos propagar y defender la fe católica.

En la Biblia: Juan 14,26; 15,26
En el Catecismo: CEC 1303, 2044

**132.** P: ¿Qué es la Confirmación?

R: Es un Sacramento que perfecciona la gracia bautismal. Por medio de él recibimos el Espíritu Santo y somos fortalecidos en gracia para que podamos crecer en virtud, vivir una vida santa, y llevar a cabo la misión a la que Dios nos llama.

En la Biblia: Juan 20,22; Hechos 2,1–4
En el Catecismo: CEC: 1285, 1316

## Profundizando

Cuando seas mayor, tendrás la bendición de recibir el Sacramento de la Confirmación. La Confirmación nos recuerda que en el Bautismo Dios nos bendijo con una misión especial y nos llenó con el Espíritu Santo. Por medio de la efusión del Espíritu Santo en la Confirmación, somos llenados con el valor y la sabiduría que necesitamos para vivir la misión que Dios nos ha dado. La Confirmación profundiza nuestra amistad con Jesús y con la Iglesia Católica; nos recuerda que somos hijos de un gran Rey. Será un momento especial en tu vida y ¡una bendición maravillosa!

133. **P: ¿Cuándo se recibe la Confirmación?**

R: En el oeste, la mayoría de los católicos recibe la Confirmación durante su adolescencia; pero en el este la Confirmación es administrada inmediatamente después del Bautismo.

En la Biblia: Hebreos 6,1–3
En el Catecismo: CEC 1306, 1318

## Profundizando

El Bautismo, la Confirmación y la Primera Comunión son llamados Sacramentos de Iniciación. De una manera especial, los Sacramentos de Iniciación profundizan nuestra amistad con Jesús y con la Iglesia, nos llenan con lo que necesitamos para vivir la misión de Dios para nuestra vida, y nos inspiran para convertirnos en todo lo que Dios nos creó para ser. Es importante recordar que estos tres Sacramentos están conectados; que son la base de una amistad fabulosa con Dios en la tierra y, para siempre, en el Cielo. En algunas partes del mundo, y en momentos diferentes a lo largo de la historia, hay personas que los han recibido en distintos momentos según las tradiciones locales y consideraciones prácticas. Por ejemplo, hace cientos de años, es posible que el Obispo visitara un pueblo solamente una vez cada dos o tres años, y, por lo tanto, la Confirmación se celebraba cuando él visitaba. Aún hoy día, algunos niños reciben el Bautismo, la Primera Comunión, y la Confirmación al mismo tiempo.

134. **P: ¿Cuáles son los siete dones del Espíritu Santo?**

R: Entendimiento, sabiduría, consejo, fortaleza, ciencia, piedad, y temor de Dios.

En la Biblia: Isaías 11,2–3
En el Catecismo: CEC 1830, 1831

135. **P: Antes de ser confirmado, le prometerás al Obispo que nunca dejarás de practicar tu fe católica por nada ni por nadie. ¿Hiciste esa promesa antes alguna vez?**

R: Sí, en el Bautismo.

En la Biblia: Josué 24,21–22
En el Catecismo: CEC 1298

136. **P: La mayoría de las personas fueron bautizadas cuando eran bebés. ¿Cómo pudieron hacer esa promesa?**

R: Sus padres y sus padrinos hicieron esa promesa por ellas.

En la Biblia: Marcos 16,16
En el Catecismo: CEC 1253

137. **P: ¿Qué clase de pecado es recibir la Confirmación en estado de pecado mortal?**

R: Un sacrilegio.

En la Biblia: 1 Corintios 11,27–29
En el Catecismo: CEC 2120

138. **P: Si has cometido un pecado mortal, ¿qué debes hacer antes de recibir la Confirmación?**

R: Debes hacer una buena Confesión.

En la Biblia: 2 Corintios 5,20; Lucas 15,18
En el Catecismo: CEC 1310

139. **P: ¿Cuáles son las tres vocaciones tradicionales?**

R: Matrimonio, Orden Sacerdotal, y Vida Consagrada.

En la Biblia: Efesios 5,31, 32; Hebreos 5,6, 7,11; Salmo 110,4; Mateo 19,12; 1 Corintios 7,34–66
En el Catecismo: CEC 914, 1536, 1601

140. **P: ¿Cuáles son los tres votos que un hombre consagrado o una mujer consagrada toma?**

R: Castidad, Pobreza y Obediencia.

En la Biblia: Mateo 19,21; Mateo 19,12; 1 Corintios 7,34–36; Hebreos 10,7
En el Catecismo: CEC 915

141. **P: ¿Cuáles son los tres rangos (grados) del Orden Sacerdotal?**
R: Diácono, Sacerdote, y Obispo.

En la Biblia: 1 Timoteo 4,14; 2 Timoteo 1,6–7
En el Catecismo: CEC 1554

142. **P: ¿Para quién hizo Dios el matrimonio?**
R: Para un hombre y una mujer.

En la Biblia: Génesis 1,26–28; Efesios 5,31
En el Catecismo: CEC 1601, 2360

143. **P: ¿Pueden dos hombres o dos mujeres casarse?**
R: No.

En la Biblia: Génesis 19,1–29; Romanos 1,24–27; 1 Corintios 6,9
En el Catecismo: CEC 2357, 2360

144. **P: ¿Cuándo pueden empezar a vivir juntos una mujer y un hombre?**
R: Solamente después de su matrimonio.

En la Biblia: 1 Corintios 6,18–20
En el Catecismo: CEC 235

145. **P: ¿Cuáles son las tres promesas matrimoniales que se hacen mutuamente los esposos?**
R: Fidelidad, permanencia y estar abiertos a tener hijos.

En la Biblia: Mateo 19,6; Génesis 1,28
En el Catecismo: CEC 1640, 1641, 1664

146. **P: ¿Por qué es malo el aborto?**
R: Porque le quita la vida a un bebé en el vientre de su madre.

En la Biblia: Jeremías 1,5; Salmo 139,13
En el Catecismo: CEC 2270

147. **P: ¿Cuántos Mandamientos hay?**
R: Diez.

En la Biblia: Éxodo 20,1–18; Deuteronomio 5,6–21
En el Catecismo: CEC 2054

148. **P: ¿Cuáles son los Diez Mandamientos?**

R: 1. Yo soy el Señor, tu Dios. No tendrás otro dios más que a mí.

2. No tomarás el Nombre del Señor, tu Dios, en vano.

3. Recuerda guardar el Día del Señor.

4. Honra a tu padre y a tu madre.

5. No matarás.

6 No cometerás adulterio.

7. No robarás.

8. No darás falsos testimonios en contra de tu prójimo.

9. No codiciarás la mujer de tu prójimo.

10. No codiciarás los bienes de tu prójimo.

En la Biblia: Éxodo 20,1–18; Deuteronomio 5,6–21
En el Catecismo: CEC pp. 496, 497

149. **P: ¿Cuáles son las cuatro tipos principales de oración?**

R: Las cuatro tipos principales de oración son: adoración, acción de gracias, petición e intercesión.

En la Biblia: Salmo 95,6; Colosenses 4,2; Santiago 5,16; 1 Juan 3,22
En el Catecismo: CEC 2628, 2629, 2634, 2638, 2639

150. **P: ¿Cuán frecuentemente debes rezar?**

R: Todos los días.

En la Biblia: 1 Tesalonicenses 5,17; Lucas 18,1
En el Catecismo: CEC 2742

# Reconocimientos

Este Proyecto comenzó con un sueño: crear la mejor experiencia de la Primera Reconciliación y de la Primera Comunión del mundo. Esperamos haber realizado ese sueño para los millones de almas jóvenes que experimentarán este programa.

Cientos de personas han derramado su tiempo, su talento, y su pericia en *Bendecido*. Es el resultado de años de investigación, desarrollo, y prueba. A cada uno de los que han contribuido — y ustedes saben quiénes son — en cada etapa del proceso: ¡Gracias! Que Dios los bendiga y los recompense ricamente por su generosidad.

Un agradecimiento especial para Jack Beers, Allen and Anita Hunt, Bridget Eichold, Father Robert Sherry, Steve Lawson, Shawna Navaro, Ben Skudlarek, Katie Ferrara, and Mark Moore.

Más allá de las enormes contribuciones de talento, otras personas han sido increíblemente generosas con su dinero. *Bendecido* fue financiado por un grupo de donantes extremadamente generosos. Ahora estará disponible sin costo alguno para todas las parroquias en Norteamérica. Esta es una de las muchas maneras en que este programa es único.

En la historia, todo lo grande ha sido logrado por personas que creyeron que el futuro podría ser mejor que el pasado. ¡Gracias por creer!

Ahora le ofrecemos *Bendecido a la Iglesia* como un regalo, esperando que ayudará a los católicos jóvenes a encontrar a Jesús y a descubrir el genio del catolicismo.

*Bendecido* fue:

Escrito por: Matthew Kelly
Ilustrado por: Carolina Farías
Diseñado por: El Equipo de Diseño de The Dynamic Catholic Design/El Católico Dinámico.
Principales diseñadores: Ben Hawkins y Jenny Miller.
Traducido al Español por: Vilma G. Estenger Ph.D
Diagramación y edición en Español: Justin & Lili Niederkorn

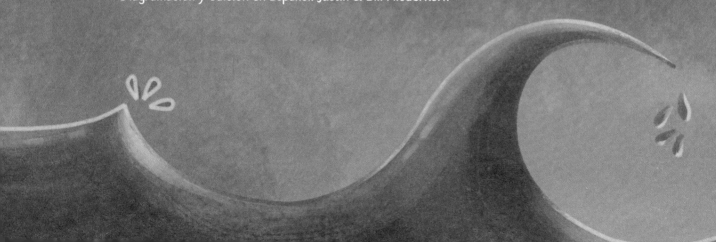

## Ayuda a Dios te Ha Bendecido a ser la Mejor-Versión-de-Si-Mismo

Dios te Ha Bendecido es diferente a otros programas en mil maneras. Una forma en la que es diferente es que siempre está cambiando y mejorando. Nosotros necesitamos tu ayuda en esto y lo puedes hacer enviandonos un correo electrónico. Escríbenos si encuentras un error tipográfico o si se te ocurre una forma divertida en que se pueda mejorar el programa. De esta manera nos aseguramos que año tras año Dios te Ha Bendecido pueda ser aún más dinámico.

blessed@dynamiccatholic.com

# Blessed/Bendecido